Gens de Garonne

DU MÊME AUTEUR

Telle est la télé, Megrelis, 1982.

Andriana, roman, Mazarine, 1984.

La Dictature de l'audimat, La Découverte, 1988.

Gens de Garonne, nouvelle, L'Esprit du temps, 1993.

Chine, on ne bâillonne pas la lumière,
avec Marie Holzman, Ramsay, 1996.

Noël Mamère

Gens de Garonne

Volume 1
Les forçats de la mer

Cette édition de *Gens de Garonne/Les forçats de la mer*
est publiée par les Éditions de la Seine
avec l'aimable autorisation des Éditions Ramsay
© Éditions Ramsay, Paris, 1997

À mon frère Jean,
À Fanchon et Adrien,
Aux Béglais qui m'ont inspiré cette histoire.

Les termes suivis d'un astérisque sont définis dans le glossaire à la fin de l'ouvrage.

Prologue

À Terre-Neuve, 12 mai 1846

Chère petite mère,

Depuis qu'on est partis de Bordeaux en mars, tu te souviens comme je pleurais et toi aussi, j'ai eu mal au ventre à cause de la mer qui était mauvaise. J'ai cru qu'elle allait tous nous envoyer par-dessus bord. Il fait froid ici. Même avec le poêle dans notre cabane, je n'arrive pas à me réchauffer. Je n'ai plus rien de sec ni de propre. Depuis qu'on est sur le Grand Banc, je n'arrête pas de travailler à la morue. L'autre jour, le capitaine m'a cogné parce que j'allais pas assez vite à la nettoyer. Mes pauvres mains sont toutes pleines de sel, ça me fait des trous en dedans des doigts. Et dire qu'il faut que je continue ce sale boulot encore trois mois ! C'est dur, ma petite mère. La Garonne me manque, j'étais bien mieux chez nous.

Excuse-moi si ma lettre sent mauvais, ici tout pue.
C'est qu'un sale pays, une sale mer, une sale morue,
des sales marins qui n'arrêtent pas de me chercher.
Un jour je me vengerai de toutes leurs méchancetés.
J'espère qu'on va vite arriver à Saint-Pierre où on
doit ravitailler. Excuse-moi mais je peux pas t'écrire
plus, j'ai trop mal aux mains.
  Je t'aime, ma petite mère.

Ton Toinou.

Ce soir-là, Antoine Graveille pleure à chaudes larmes. Ses rêves de grand large et de nouveaux horizons, il les a oubliés. Il n'en peut plus. Il est exténué, et sa tête roule les plus sinistres pensées. Il laisserait bien le premier paquet de mer venu l'emporter par-dessus la lisse. S'il n'y avait pas, là-bas dans les palus* de la Caminasse*, sa mère, la Louise, qui trime comme une damnée pour élever ses quatre frères et sœurs ! C'est à elle que le capitaine de l'*Arbonnaise* a donné l'acompte de sa maigre paie de mousse engagé pour la campagne de pêche.

De ses pauvres doigts gourds, crevassés par le sel qui imprègne ses mitaines, il ferme sa lettre avec difficulté et la glisse sous son tricot de peau. Là, au moins, il est sûr que personne ne la trouvera jusqu'à l'arrivée à Saint-Pierre. Si l'un de ses compagnons de cabane le surprenait en train d'écrire ! Il lui arracherait sa lettre des mains et le frapperait. Tout leur est bon : « Pourquoi un mousse saurait-il écrire quand nous, les palletas*, on n'a qu'nos grandes gueules et nos bras pour s'débrouiller dans la vie ? » Antoine essuie ses yeux, jette un regard circulaire et inquiet sur le poste : il baigne dans une buée aussi épaisse que la brume du dehors depuis que les hommes sont rentrés avec leurs vêtements mouillés.

Situé à l'avant du navire, en contrebas du pont, le poste d'équipage de l'*Arbonnaise* n'est aéré que par le capot de descente et une minuscule claire-voie qu'Antoine a fermée pour avoir plus chaud. Entre le froid et les odeurs, il a choisi les odeurs qui, pourtant, lui soulèvent l'estomac. La cloison de bois trop mince qui sépare le poste d'équipage de la cale empeste la saumure et la morue. À cette odeur se mêle le relent des restes, soupes, fonds de verre et arêtes de poisson qui ont été jetés sous la table, jamais lavée depuis le début du voyage. Sous les sabots d'Antoine, le plancher est déjà recouvert d'une épaisse couche de crasse qu'il n'est pas question de gratter. La tradition de la vie « à la mode du banc » veut que ce travail soit laissé aux cascades de pluie ou aux embruns qui tombent par le capot toujours entrouvert.

« Je ne sais pas qui l'a inventée, cette "mode du banc" mais c'est un vrai salaud », se répète Antoine. Il prend appui sur la table en comprimant son ventre d'une main tant ce concentré d'odeurs âcres lui donne la nausée. Mais il sait que, sur un terre-neuvas*, il n'y a pas de place pour les malades. On n'arrête le travail que lorsqu'on est à l'extrême limite de ses forces, quand on ne peut plus tenir debout. La vie « à la mode du banc », c'est marche ou crève. Le capitaine s'était empressé de le lui apprendre, avec un mauvais sourire, dès le début de la campagne :

– Ici, Graveille, sur la route des Bancs, il n'y a pas d'heure pour les repas et il n'y a pas d'heure pour le repos. Le matin, le soir, le jour et la nuit, ça n'existe pas chez les terre-neuvas. Ici, ni fête, ni dimanche. Dans notre calendrier à nous, sur les Bancs, il n'y a qu'un seul mot : Morue-Morue-Morue ! Et sur les Bancs, qu'une seule loi : « La morue donne ! marche ou crève. » C'est la seule loi qui vaille à bord. T'as compris, Graveille ? Si c'est pas bien rentré dans ta p'tite têt' de mousse, demande donc aux gars ce qui arrive à ceux qui cannent... Allez, oust ! à ton boulot, maintenant, il faut que tout soit prêt pour quand on va se mettre à banquer*.

Le Hideux, qui commande l'*Arbonnaise* d'une main de fer depuis seize ans sur les mers de l'Atlantique Nord, avait tiré sur sa pipe, satisfait. Puis il était reparti vers l'arrière du trois-mâts, de son pas lourd de géant, laissant le malheureux Antoine à son angoisse d'enfant, terrorisé à l'idée de ne pas « respecter les règles ». Il ne savait pas encore que, sur les Bancs, son travail ordinaire de mousse, à tout juste treize ans et trois mois, ce serait dix-huit heures d'affilée. Dix-huit heures comme les autres, comme ces brutes assommées de fatigue qu'il regarde dormir dans leurs cabanes, à la lueur du poêle. « Ils roupillent comme des anges, ces salopards. »

Des « cabanes », les couchettes superposées sur deux hauteurs tout autour du poste, s'échappent les ronflements et les râles des dix hommes qui font de la vie quotidienne d'Antoine à bord un enfer.

– Y en a pas un pour rach'ter l'autre !

Du Yves, qui devient fou dès qu'il a abusé de l'alcool et qui tuerait père et mère pour un gorgeon de plus, au gros Régis, plus vicieux qu'une putain mal payée, ils ont tous été rattrapés par le sommeil avant même d'avoir pu dire un mot. Rien à craindre : la fatigue l'a emporté.

Ce soir, épuisés par une mer coléreuse, ils se sont affalés tout habillés sur leur groumeur*, les bottes aux pieds. Ce soir, c'était l'épuisement et non l'alcool qui faisait tituber le Yves : il n'a même pas fait sécher son ciré à la chaleur du poêle et, Dieu merci, n'a pas prêté attention à Antoine. Henri, que l'on surnomme « le Mangeur d'orbiches* » parce qu'il est de Cancale, a juste eu le temps d'empiler sur lui ses vêtements de rechange pour avoir plus chaud avant que la fatigue ne lui ferme les yeux.

Enfoncés dans un sommeil si profond qu'une tempête ne le perturberait pas, ils laissent un répit à leur souffre-douleur. Huit semaines de mer lui ont appris ce que treize années d'une vie de chien n'avaient pu lui insuffler : la haine.

— Brutes, siffle-t-il entre ses dents, indifférent au visage tourmenté du Yves, hanté par un cauchemar à en juger par les cris de bête qui lui échappent dans son sommeil. Est-ce que vous osez traiter vos propres enfants comme moi ? Vous n'êtes qu'une bande de lâches. Vous vous en prenez à plus faible que vous. Vous savez que je ne peux pas me défendre. Un jour, vous le paierez. Tous.

Il n'a que treize ans, et il suffoque en silence sous le poids de la révolte et de la tristesse. Ses yeux se brouillent. Il est bien près de saisir le « caqueux » du Yves, ce couteau à long manche de bois, que tous les dorissiers portent sur eux pour le hareng et dont la lame est tranchante comme un rasoir. Quel carnage il pourrait faire ! « C'est tout ce que vous mérite-riez ! Ça vous amuse de me rendre la vie infernale. Un jour, c'est vous qui le paierez, le ticket pour l'enfer. Et vous verrez à quoi il ressemble. »

D'un pas mal assuré, en raison de la forte houle d'ouest sur le Platier, ce haut fond qui forme le sommet du Grand Banc de Terre-Neuve, entre 44° 10' et 44° 20' de latitude nord, il regagne sa couchette. Une cloison de bois, vernie au sang de morue et à la crasse, sépare sa cabane de celle de Jacques « le gogotier », celui qui travaille les foies de morue. Deux planchettes y sont disposées en étagères. Il sai-sit sur la plus basse le sac que lui a préparé la Louise, sa mère, à son départ. C'est là qu'il garde son bien le plus précieux. Le poêle est en train de s'éteindre, mais la lumière rougeoyante dont il baigne encore le poste suffit.

D'un morceau de linge rêche et déjà sali par ses mains de petit forçat de la mer venues souvent le visiter, il sort une médaille de métal. Sous ses yeux embués de larmes apparaît le visage souriant d'une madone : sa seule richesse, un présent de sa « petite mère », avant son départ. Il le serre fort contre ses lèvres et ferme ses paupières.

Chapitre 1

À la Caminasse, sur les bords de Garonne, la misère était plus douce. Même si l'on ne mangeait pas tous les jours à sa faim chez les Graveille, Abel, le père, venu par nécessité de sa Dordogne toute proche, savait qu'à la rivière, dans les jardins ou chez « ceux des châteaux », il trouverait toujours de quoi remplir l'assiette de ses cinq enfants. Mais il avait sa dignité, Abel, et il supportait mal de devoir aller frapper aux portes. Chaque fois qu'il lui fallait se résoudre à cette tournée dégradante, il devenait irascible et se mettait à boire un infâme pinard des palus* qui aiguisait son mal au ventre et rougissait ses yeux bleus. Il avait honte, mais c'était plus fort que lui ; alors, il buvait son vin en cachette. Mais comment se cacher dans un logis aussi exigu ?

Quand, au printemps 1833, juste après la naissance de leur aîné, Antoine, les hasards de leur errance les avait conduits à Bègles, Abel et Louise ne possédaient rien. Jusque-là, ils avaient vécu d'expédients : elle se louait comme savonneuse, lui comme ouvrier agricole à La Roche-Chalais, forgeron à Libourne puis à Créon. À Créon, où ils avaient rencontré le frère d'un certain Armand Moustey, qui était curé à Bègles.

– Poussez jusqu'à l'Estuaire, leur avait-il conseillé. Armand est un homme de cœur... Ça m'étonnerait qu'il ne soulage pas votre peine.

En effet l'abbé Moustey, ému par la détresse des Graveille, avait sollicité M. de Carayon-Latour, receveur général de la Gironde et propriétaire du château de Tartifume, au bord de la Garonne. Celui-ci avait abandonné à Abel et à Louise quelques mètres de palus, au fond de sa propriété, tout près de la Caminasse du Lugan, pour leur permettre d'y construire « un abri temporaire avant de trouver mieux et plus digne de leur condition, dans notre ville ».

Avec du bois échoué sur les berges du fleuve lors des fortes marées et quelques bonnes planches à barriques trouvées dans les chais de Tartifume, Abel avait abrité les siens. Ce n'était pas du travail de charpentier, mais « la bicoque des Graveille », comme l'appelaient les Béglais, n'avait rien d'un taudis. On pénétrait directement dans la cuisine, d'à peine trois mètres sur trois, chichement éclairée par une ouverture étroite : les hivers étaient vifs, il ne fallait pas laisser entrer le froid. Louise ne se décidait à allumer l'unique lampe à huile qu'à « la troisième étoile ». Cette première pièce était meublée d'une table en pin, d'un poêle à sciure, et d'un placard bas donné par l'abbé Moustey.

La chambre n'en était séparée que par une cloison de brandes. Sur la terre battue, Abel y avait disposé le lit des parents et aménagé une caisse de bois pour Antoine. Quand ses frères et sœurs étaient arrivés, au rythme d'un tous les quatorze mois, le père avait bricolé avec des moyens de fortune une sorte de paravent qui donnait l'impression, mais seulement l'impression, qu'il y avait deux chambres.

À la naissance d'Isabelle, la dernière, en 1838, Louise avait décidé que les « deux grands », Antoine et sa sœur Catherine, seraient installés dans la cuisine. Antoine avait à peine six ans alors, mais il voyait bien que le travail abîmait le visage de sa mère. Jour après jour blanchissaient sur ses tempes les orgueilleux cheveux noirs qu'il aimait caresser lorsqu'elle le prenait sur ses genoux. Il comprit vers cette époque que ses maternités successives n'étaient pas aussi désirées que Louise voulait le faire croire : peu après la naissance d'Isabelle, il surprit une conversation douloureuse entre ses parents, qui le croyaient endormi.

Dans la grisaille d'un de ces matins d'octobre où le brouillard enveloppe les bords de Garonne d'une humidité pénétrante, Abel et Louise buvaient leur bouillon auprès du poêle encore chaud : de la soupe à la tête de mouton de l'avant-veille, que Louise réchauffait et allongeait de légumes et d'eau à chaque repas, pour « la faire durer ». D'un hoquet, elle avait renvoyé sur la terre battue ce qu'elle venait d'avaler.

— Louise ? s'inquiéta aussitôt Abel en lui prenant la main.

— Quoi ?

— Louise, tu ne crois tout de même pas que...

Chacune de ses maternités avait commencé de cette façon.

— Oh ! Non, c'est pas Dieu possible ! s'écria-t-elle, le regard farouche, refusant cette nouvelle « fatalité ».

Abel, résigné, souleva les épaules :

— Ma pauvre femme ! même si on le voulait pas, qu'est-ce qu'on y peut ?

— Mais je nourris encore la petite... Comment veux-tu ?

— Tant mieux si tu crois que c'est non, fit Abel, rassuré, nous sommes déjà bien assez servis comme ça !

Abel avait pensivement contemplé le visage de sa femme : ses lèvres pâlies cachaient des dents devenues trop rares et gâtées par les nombreuses maternités ; seuls ses yeux avaient gardé leur jeunesse, leur velours brun et cet air tendre qui l'avaient conquis. Il avait pensé à sa propre mère et à sa grand-mère. Toutes les femmes nées de misère sont-elles donc condamnées à porter leur croix jusqu'à la fin ? Sont-elles condamnées à donner la vie à d'autres misères ? Il se retourna vers Antoine et

Catherine, les regarda longuement. « Cinq enfants, bien sûr, ce n'est pas vraiment la misère noire, d'autres sont plus mal lotis. Mais pourquoi ma pauvre Louise serait-elle hors d'âge à trente ans ? » Il lui prit la main :

– « Faites deux lits », conseillent les malins... à quoi ça nous avancerait, ma Louise, puisqu'on n'a même pas la place ici ! Et puis quand on a le goût l'un pour l'autre, on va pas passer notre vie à se mettre en carême, c'est pas vrai ?... Ça va mieux ? On dirait que ça se passe ?

Louise avait retrouvé quelques couleurs. Elle se dirigea vers la chambre où Isabelle réclamait son dû à grands cris.

Antoine grandit dans cette promiscuité forcée. À vivre si près de ses parents, il comprit les difficultés qu'ils rencontraient pour élever dans la dignité ses quatre frères et sœurs et lui-même. Observateur, attentif, il perçut précocement leurs qualités et leurs défauts. Disons, pour les défauts, ceux de son père ; il n'en voyait aucun à sa mère.

Ainsi, à l'automne 1838, il découvrit, et détesta aussitôt, le manège de son père pour boire en cachette. C'était une de ces matinées où rien n'allait dans la maison. Depuis huit jours, Abel n'avait pas trouvé à se louer. Accaparée par ses enfants, malade de la poitrine, Louise n'avait pu faire la savonneuse

pour les gens des châteaux. L'argent manquait pour
nourrir les petits.

— Abel, décide-toi. Cette fois, nous n'y arriverons
pas seuls, avait-elle finalement lâché, sachant
combien ce recours répugnait à son mari.

— Moi, Graveille, aller tendre la main comme un
mendiant, tu n'y penses pas ? avait-il répliqué, le
verbe haut, en secouant la pauvre Louise qui s'était
mise à tousser de plus belle.

— Tu veux que je fasse comme la Marie Lahiteau,
qui va pleurer aux portes avec son dernier dans les
bras pour apitoyer les gens sur son sort, c'est ça ?
avait-elle rétorqué. T'es un Graveille, oui ou non ?
Si t'as un peu de courage, c'est à toi d'y aller.

Elle tenait alors tête à son mari, sachant que
c'était le seul moyen de le décider à aller frapper aux
portes. L'atmosphère de la maison devenait irrespi-
rable. Les plus petits, Luc, Jean et Isabelle, se mettaient à pleurer ; Antoine et sa sœur Catherine se ser-
raient l'un contre l'autre, comme pour se protéger
d'un orage ou d'une tempête. Antoine supportait
mal ces moments où ses parents donnaient l'impression de se haïr, il détestait les cris de son père, ses
violents coups de poing sur la table et le visage de sa
mère, déformé par la colère. Son cœur battait à toute
vitesse, une sueur froide coulait dans son dos. Para-
lysé par la peur, il serrait si fort la main de sa sœur
qu'elle poussait de petits cris de douleur et se mettait, elle aussi, à pleurer.

– Puisque c'est comme ça, c'est moi qui vais chercher l'eau à l'estey*. Ça me fera prendre l'air, avant de faire le mendiant.

D'habitude, les corvées d'eau revenaient à Antoine et à Catherine : corvées de l'eau de lessive à l'estey du Lugan, de l'eau à boire à la fontaine des dépendances du château de Tartifume, où régnaient en maîtres le père Taffart et son chien terrifiant.

Abel ne les remplaçait que lorsqu'il y avait eu de l'orage entre lui et Louise. Il l'annonçait pour clore la discussion : c'était le signal de la fin des hostilités. Antoine, qui l'avait maintes fois entendu, l'accueillait avec le soulagement d'un damné qu'on laisse enfin tranquille.

Ce matin-là, au lieu de rester dans la maison à consoler sa mère, Antoine suivit son père de loin. Il le vit arrêter la brouette à quelques mètres de l'estey. D'un tas de bûches, il retira quelques pièces. Que faisait-il ? Il regardait autour de lui, comme un malfaiteur. Il plongea son bras dans l'ouverture ainsi pratiquée, puis il disparut aux yeux d'Antoine ; l'enfant se déplaça silencieusement dans les hautes herbes : agenouillé derrière le tas de bois, sur l'herbe, Abel buvait à longs traits le liquide sombre d'une bouteille, à toute vitesse, de peur d'être pris en défaut. Se relevant, il dissimula au fond de sa brouette un objet qui roula avec un bruit mat caractéristique contre le bois lorsqu'il souleva les brancards. Il se dirigea vers l'estey où il remplit ses deux seaux d'eau. Mais avant de repartir, il tira son litre du fond de la brouette, l'acheva, et en lança le cadavre loin dans le courant. Antoine le vit revenir au bûcher, étancher encore sa soif. Combien y avait-il, dans la cachette, de litres de mauvais rouge ? Abel remit en place les bûches, et revint vers la maison.

Antoine, à toute vitesse et en se cachant, l'y avait précédé. Quand son père pénétra dans la cuisine, ses deux seaux à la main, il remarqua pour la première fois ses yeux. Ils étaient rouges. Averti, il sentit l'odeur d'alcool que renvoyait son haleine. À ce moment précis, il se prit à haïr son père.

Louise ne s'aperçut de rien. Antoine brûlait d'envie de tout dire, de montrer du doigt ce père faible et hypocrite, mais son intuition lui dicta de se taire.

— Bon, cette fois-ci, j'y vais, Louise, ne m'attends pas avant l'après-midi, lança Abel sans se retourner.

Il avait pris soin, depuis son retour, de ne pas croiser le regard de sa femme. Antoine comprit ce que cela voulait dire.

Abel repassa par sa cachette pour se donner du cœur au ventre, puis se rendit au carrelet de Bellard, l'un des meilleurs pêcheurs de Bègles, qui lui donna deux beaux mulets. Mais ce pauvre diable devait avoir le gosier bien sec ! Abel ne refusa pas les verres de vin blanc du clos de Hilde qui lui furent proposés. Il suivit ensuite le chemin du Grand-Port, vers l'église Saint-Pierre. Il frappa, déjà éméché, à la porte du château de Limbalot, que l'on appelait aussi le Haut-Verduc ; les deux artistes du Grand Théâtre de Bordeaux, Oudinot et Bizot, qui l'habitaient, y donnaient de grandes fêtes. Un domestique remplit un panier de reliefs luxueux et proposa à Abel de trinquer : ça l'amusait lui aussi de jouer les grands seigneurs. Il poursuivit sa tournée. On l'accueillait avec une gentillesse qui devait beaucoup à la condescendance. On le croyait porté sur la bouteille. Sur le chemin du retour, il trébucha souvent, pestant contre sa propre faiblesse et contre ses tentateurs.

Devant la porte, Antoine guettait son père. Chaque minute lui semblait interminable. N'était-il pas attablé avec quelque alcoolique du coin, en train de siroter son vin pendant que sa famille attendait, le ventre creux ? Quand il en eut assez de scruter l'horizon de la Caminasse, il échappa à la vigilance de sa mère et se dirigea vers l'estey. Il eut d'abord très peur : son père était étendu, à plat ventre, la tête dans les hautes herbes. Mais il bougea, aspergeant sa tête d'eau froide pour retrouver ses esprits. Il se releva avec effort, s'appuya sur un arbre en se tenant l'estomac et, d'un coup, se redressa. Il fit quelques pas. Il était de nouveau droit dans ses sabots. Chargé de ses deux paniers pleins, il se dirigea vers la maison. Antoine y était déjà rentré. Personne ne s'avisa de rien.

Les enfants Graveille eurent donc toujours de quoi manger... et Abel prit l'habitude de boire. Au grand désespoir d'Antoine, qui ne put jamais se résoudre à admettre cette faiblesse de son père, au demeurant le meilleur des hommes.

Abel trouva un travail stable quand le père Bazeille, le plus gros tonnelier de Bègles, eut besoin de nouveaux bras pour faire face à la demande croissante en fûts et barriques des vignobles béglais. À partir de ce moment-là, il n'eut plus à aller « frapper aux portes », et un grand souffle d'espérance entra dans la maison Graveille.

Antoine avait maintenant huit ans. Il ne manquait pas une occasion d'aller voir travailler son père à la tonnellerie. Il aimait les odeurs mêlées du bois de chêne et du fer, les ouvriers au geste précis, qui travaillaient sur le feu les courbures de leurs planches et frappaient le fer jusqu'à ce qu'il devienne cercle. L'assemblage de ces pièces de bois, serrées l'une à l'autre pour longtemps par des grands anneaux de fer, comme l'alliance des jeunes mariés, tout comme les fûts au ventre épais et généreux, le fascinait.

Chez Bazeille, il y avait onze ouvriers, une vraie petite usine, ce qui n'empêchait pas le vieil Étienne de mettre la main à la pâte. Antoine ne se lassait pas de le regarder frapper le fer rouge avec un marteau capable d'assommer un âne, dans des gerbes d'étincelles, ou bander le bois de ses mains rugueuses. Il aimait ce vieil homme bourru mais affable, qui avait engagé son père. Il montrait toujours de la bonté à l'égard du garçon. Quand Bazeille mettait la main au

26

petit marteau attaché à son tablier de cuir, Antoine savait que c'était son tour. Sous l'œil attentif du maître, il était autorisé à cogner sur de la menue ferraille. Il pouvait, enfin, manier le marteau comme les grands, comme son père. Il y mettait toute son énergie d'enfant. Sa rage de vivre, son envie de réussir transparaissaient dans son geste. Avec un sourire attendri, le père Bazeille passait la main sur ses cheveux noirs, et d'une voix mouillée disait doucement : « Mon pauvre petit ! » Prétextant le bruit du marteau, Antoine répondait : « Quoi, Bazeille ? » Le vieillard l'embrassait et, certains jours, ajoutait : « Tâche d'être un honnête homme, surtout. »

Chapitre 2

Jusqu'à ses années d'école, Antoine passait son temps à courir les bords de Garonne, les jardins et les prairies de Bègles. Bien qu'il eût en aversion Bellard, le pêcheur, parce qu'il faisait boire son père et racontait partout que Graveille avait le goulot facile, il s'était lié d'une réelle amitié pour son fils, André, qui savait lui faire partager son amour et sa science du fleuve.

À quatorze ans, André exerçait déjà le métier de pêcheur avec son père. Son école à lui, c'était la Garonne. Il en connaissait les rythmes et les caprices, les secrets aussi. Sa vie était ordonnée autour du fleuve et de ses marées. Il désignait les saisons par le nom des poissons qui migraient à ce moment-là dans l'estuaire : l'« alose », c'était le printemps, la « lamproie », l'automne, et la « pibale », l'hiver. Chaque fois qu'Antoine pouvait échapper à la vigilance de sa mère, il rejoignait son ami. Un jour qu'André l'avait amené à la pêche à l'alose, se produisit un événement mémorable.

Suivant la méthode pratiquée sur l'estuaire de la Gironde, André avait solidement amarré à la berge l'extrémité du filet, puis, à l'aide de sa barque, l'avait déployé en demi-cercle en travers du fleuve sur une centaine de mètres, pour revenir enfin à son point d'amarrage. De ses bras musclés, il commença à ramener le filet à la berge en tirant de toutes ses forces contre le courant de la marée montante. Plus il tirait et plus la poche formée par le filet se rétrécissait.

— Regarde, Antoine, lança-t-il entre deux coups de poignet secs, ces reflets d'argent que tu vois briller dans l'eau, ce sont des aloses. Elles sont prisonnières de mon piège. Cette fois-ci, je te le dis, mon gars, on ne va pas faire chou blanc !

L'alose ne nageait pas « au fond », la température de l'eau lui convenait, toutes les conditions étaient réunies pour une bonne pêche. C'est alors que l'événement se produisit. Il ne restait qu'une dizaine de mètres à ramener quand un grand remous se forma dans le filet.

— L'esturgeon ! hurla André.

Il venait de faire prisonnier le plus noble et le plus rare poisson de l'estuaire.

— Il va tout nous déchirer ! cria Antoine, horrifié.

— Laisse-moi faire, lança André, qui avait retrouvé toute sa maîtrise de pêcheur en quelques secondes. Bouge pas d'ici et tiens le filet. Mets-y

toute ta force. T'inquiète pas, ça va pas durer longtemps.

À peine avait-il passé la main à Antoine qu'il
plongea tout habillé et disparut sous l'eau. « Il est
fou, il va se noyer », pensa Antoine. Tenir le filet,
agité de violents soubresauts, était bien au-dessus de
ses forces. Il allait lâcher prise lorsque le père Bellard arriva et prit sa place. L'eau bouillonnait, et
André n'apparaissait toujours pas. Toutes ces
secondes parurent interminables à Antoine, jusqu'à
ce qu'il vît émerger la tête de son ami qui cria,
essoufflé :

— Tirez, tirez vite !

D'un geste brusque qui renvoya le pauvre
Antoine de cul sur la berge, Bellard tira sur le filet,
ramenant dans la vase de la rive et son fils André et
l'esturgeon prisonnier de ses bras herculéens.

André, qui avait tout l'air d'un bonhomme d'ar-
gile, rayonnait de fierté.

— Alors, Bellard, lança-t-il à son père, qu'est-ce
que tu dis de ça ?

— Pas mal, mais il a fallu que tu te mettes à l'eau.
C'est la Bellard qui va pas être contente.

Pour Bellard, il importait de ne pas montrer à son
fils qu'il était fier de lui. Dans la famille, c'était
l'usage : quel que soit l'exploit, il ne fallait pas susciter de jalousie. Antoine, quant à lui, pensa qu'il
avait bien raison de considérer cet homme comme
un imbécile et un rustre. De ce jour, André fut son
héros.

30

Ainsi se communiqua la passion du fleuve à Antoine. Avec André, il apprit à aimer la nature et à en tirer profit. Il éprouvait une admiration sans bornes pour ce garçon si habile en tout, et si fin connaisseur des secrets de la nature béglaise. André lui enseignait son savoir-faire. Pour l'initier à la chasse à la fronde, il l'emmena dans le quartier de la Pastisseyre, où se trouvaient les premiers jardins maraîchers qui fournissaient en légumes frais l'important marché des Capucins, à Bordeaux.

Maître dans l'art de la pêche en Garonne, André était inégalable en précision pour le maniement de la fronde : un oiseau visé était un oiseau mort. Il montra d'abord à Antoine comment construire cet engin de chasse :

– Le lilas, tu vois comment c'est fait, Antoine ? dit-il en tirant sur une branche de la haie d'arbustes qui séparait les jardins de Marthe Lecour et de René Chassan. C'est le seul arbre qui fournisse des fourches régulières et bien cintrées. Comme celle-ci. Après ça, tu te débrouilles à trouver deux bandes d'élastique, une languette de cuir souple qu'on te donnera à la tannerie de Peyrelongue, et hop ! le tour est joué. Tu as ta fronde. Maintenant, au boulot !

Ils s'accroupirent derrière le lilas et observèrent le ballet des oiseaux sur les plates-bandes fraîchement ensemencées de carottes et de radis.

– Regarde bien, Antoine, chuchota André, ils sont tous là ! Les moineaux, les passereaux, les verdiers, les linots...

31

– Et cet oiseau au ventre jaune, interrompit Antoine, c'est quoi ?

– Une coudeyte.

C'est ainsi que les Béglais nomment la bergeronnette. Se posaient aussi des culs-blancs, des alouettes et ce qu'André appelait des « tits et des sits ».

Les épouvantails installés par les jardiniers n'effrayaient pas ce petit monde turbulent, au contraire : les culs-blancs appréciaient ce poste d'observation pour guetter les vers rouges et les scarabées qui composaient l'essentiel de leur menu.

– Tiens, là, regarde, des « margasses ». C'est elles que j'attendais, fit-il d'un air gourmand en sortant quelques cailloux de sa poche. Elles sont les plus difficiles à tirer, parce qu'elles sont méfiantes, toujours en mouvement et qu'elles se tiennent loin. Elles arrivent ici au mois de mars et repartent au bout de trois semaines. Ce qu'elles aiment, c'est les insectes et les papillons. Elles les attrapent en plein vol. Tiens, regarde celle-ci, elle a une « barre » dans le bec. Ces saloperies de bestioles, ça fait des dégâts terribles dans les jardins. Elles bouffent les racines des jeunes plants.

Il attendit que la pie grièche se pose, tendit de toutes ses forces l'élastique devant son œil gauche et libéra aussitôt le caillou qui toucha l'oiseau en pleine tête. Antoine, plus petit et donc moins visible de Marthe Lecour, se faufila sous la haie et ramena la proie toute chaude.

Le soir, ils avaient pris six culs-blancs et deux « margasses », que Louise Graveille s'empressa de cuisiner. André était un garçon généreux. Il avait donné toute sa chasse à Antoine.

– Ta mère en aura plus besoin que la mienne... Et tâche de devenir un bon chasseur, s'était-il contenté d'ajouter en sortant les oiseaux de ses poches.

Si l'on excepte ses sorties avec André, qui prirent quand le père Bellard décida d'envoyer son fils sur les terre-neuvas, Antoine était un solitaire. Il se mêlait peu aux gosses de la Pastisseyre ou du Prêche qui, pour cette raison, l'avaient surnommé « Toinette » à son arrivée dans la classe de M. Caps. M. Caps, un jeune homme aux « idées nouvelles » – « méfie-t'en », lui répétait sa mère – était originaire des Pyrénées. Il essayait tant bien que mal d'inculquer quelques rudiments à tout ce petit monde plus intéressé par le braconnage dans les palus et la pêche dans les esteys que par l'apprentissage de la lecture et la connaissance de l'histoire.

Il lui en fallait, de la patience, à M. Caps, et de l'énergie, pour obtenir le silence de cette bande de garnements ! Il leur faisait ânonner dix fois de suite les formules à retenir, quand il ne leur demandait pas de les chanter. Si l'un ou l'autre s'assoupissait, il le réveillait d'un coup de règle sec sur la tête. Antoine n'avait jamais eu à subir ce traitement, tant il était attentif et désireux d'apprendre. Chaque fois qu'il passait devant une enseigne, il tentait de la déchiffrer. Il ramassait tous les bouts de papier qui traînaient dans la rue, pourvu qu'il y ait quelque chose d'écrit dessus, et demandait à M. Caps de lui expliquer ce qu'ils disaient. Comblé par cet élève appliqué, le maître l'avait très vite installé avec les « grands », sans mesurer la jalousie qu'il venait d'éveiller chez les autres enfants.

Un matin d'hiver, où chaque flaque d'eau s'était transformée en patinoire, cinq ou six d'entre eux voulurent lui faire payer ses succès scolaires. Ils attendirent qu'Antoine sorte du chemin du Grand-Port vers le bourg. Dans la petite descente menant à l'école, une forte poussée dans le dos l'envoya s'étaler contre la terre gelée au terme d'une grande glissade sur la glace, les sabots en l'air et le béret dans le fossé. Quand il se releva, le nez en sang, il n'y avait plus âme qui vive, mais quelques rires étouffés lui parvinrent, qu'il reconnut sans difficulté. Il reprit son chemin comme si de rien n'était et n'eut pas un mot de commentaire en arrivant chez Caps. Il avait mieux à faire.

En deux ans et demi, il sut lire et écrire grâce à la patience de ce jeune maître, qui l'aimait comme un fils, et qui se montrait moins rude avec lui qu'avec les siens ! Âgé d'à peine trente-cinq ans, il était père de six enfants qu'il punissait avec sévérité au moindre manquement, considérant que les propres enfants du maître d'école n'avaient pas le droit de se montrer médiocres. Ainsi, quand le plus jeune avait fait trop de fautes dans sa dictée ou dans sa récitation, il l'exposait devant ses camarades, debout sur le bureau, et le tançait avec ironie. C'étaient les seuls moments où les autres élèves étaient autorisés à rire : il encourageait la classe à se moquer du malheureux.

À part Antoine, Caps n'épargnait personne. Et surtout pas sa femme, une petite Landaise, chétive et effacée, qui tremblait devant lui. Quand l'ombre au cadran solaire indiquait midi largement passé, et que Caps tempêtait encore sur ses écoliers courbés vers leurs ardoises comme des soldats évitant la mitraille, elle se risquait à entrebâiller la porte. De sa voix fluette, elle interrogeait son mari : « Vous ne venez pas, aujourd'hui, monsieur Jean ? » Caps éclatait et balançait contre la porte derrière laquelle elle s'abritait ce qui lui tombait sous la main. Dans ces moments-là, pas un enfant ne bougeait. Antoine, sensible jusqu'à l'épiderme, retenait sa respiration. Chacun savait que l'homme était sanguin et qu'il possédait une force redoutable. Ne racontait-on pas, à Bègles, qu'il avait dû quitter précipitamment son village de la vallée d'Aspe, après avoir mis dans un drôle d'état le curé, qui lui reprochait de ne pas avoir placé ses enfants « sous la protection de Jésus », parce qu'il refusait de les faire baptiser ?

Quand Caps haussait la voix et levait la main, nul n'osait bouger le sourcil. Aucun des garnements qui bénéficiaient de sa science n'aurait osé lui chaparder une seule feuille des artichauts ou des laitues qu'il cultivait dans le jardinet attenant à sa maison. Tous craignaient Caps, sauf Antoine, qui le respectait.

Il aimait le son de cette voix rauque et mélodieuse, il buvait ses paroles comme on déguste le miel et prenait un plaisir évident à lui faire raconter l'histoire de Bègles, qu'il connaissait si bien, lorsqu'ils se retrouvaient seuls.

Si André lui faisait « respirer » Bègles, Caps, jour après jour, lui apprenait à l'aimer. L'enfant raffolait surtout des épisodes révolutionnaires. La grande Révolution n'était pas si lointaine, au fond. Caps était né quinze ans après, au moment du sacre de Napoléon Ier. « Mes parents auraient pu choisir une autre date pour le républicain que je suis ! » commentait-il en riant chaque fois qu'il s'agissait de cette période.

En consultant les registres paroissiaux de l'abbé Moustey, avec lequel il s'entendait bien, au grand étonnement de ceux qui le prenaient pour un « bouffeur de curés », il disait avoir capté ce qu'il n'hésitait pas à appeler « l'esprit révolutionnaire de Bègles ».

Ses récits commençaient toujours par la même question et Antoine se pliait à ce rituel avec délectation :

– Antoine, tu es un garçon observateur ?

– Oui, monsieur Caps, surtout pour les poissons et les oiseaux qu'André m'a appris à connaître !

– Garnement !

Il faisait semblant de se mettre en colère, mais avait l'œil rieur.

– Je te parle non pas de nature mais d'Histoire (il aspirait le « H » pour mettre en valeur le mot).

Et il enchaînait :

– As-tu bien observé la façade de l'église Saint-Pierre ? Tu n'as rien remarqué ?

– Non, monsieur Caps.

– Il faut ouvrir un peu plus grand tes yeux, mon gars, si tu veux te débrouiller dans la vie ! Tu n'as pas vu qu'y était inscrit : « République française, Liberté, Égalité, Fraternité » ?

Antoine jouait le jeu :

– Ah, ça, alors, mais où ai-je donc les yeux quand ma mère m'emmène à la messe ?

– Eh bien, mon garçon, il te faut savoir que, durant plusieurs années, l'église Saint-Pierre a fait office de mairie et que le premier maire de Bègles a été un curé !

– Un curé ? Mais je croyais...

– Hé non, tous les curés n'ont pas été hostiles à la Révolution et tous les révolutionnaires n'ont pas fait la chasse aux curés ! En tout cas, à Bègles.

– Et comment un curé est-il devenu maire ?

– Il s'appelait Daguzan, Marc Daguzan. Le 31 janvier 1790, juste après avoir dit sa messe du dimanche, il a été choisi comme président de l'assemblée municipale par acclamation. Deux jours plus tard, l'assemblée des citoyens actifs de la commune, qui avait seule le droit de participer à l'élection du maire et du conseil municipal, le suffrage universel n'étant pas encore instauré, a élu Marc Daguzan maire, au troisième tour de scrutin, par quarante-trois voix sur soixante-quatre votants. Quant aux conseillers municipaux, au nombre de douze, ils ont été élus le dimanche suivant... Après les vêpres ! Car tout cela a eu lieu dans l'église. Un an plus tard, il a fallu remplacer Marc Daguzan, nommé curé de l'église Saint-Louis des Chartrons, à Bordeaux. En 1794, tout ce monde-là a jeté Dupuy, le malheureux nouveau curé, hors de son église, avant de la vider de ses ornements et de ses statues pour en faire le « temple de l'Être suprême »... Dérisoire !

Caps aimait terminer ses histoires, de vraies histoires, par une morale édifiante à l'usage d'Antoine :

– Tu vois, mon garçon, ce qui s'est passé à Bègles dans les premiers temps de notre grande Révolution devrait être médité par tous ceux qui essaient, aujourd'hui, de diviser les Français. Il n'y a pas de « bons » et de « mauvais » Français, il ne faut pas croire à ce charabia démagogique et scandaleux, il n'y a que des Français qui ont envie de vivre en paix et dans le respect mutuel. Un point c'est tout. Tâche de t'en souvenir.

Chaque épisode de l'histoire de Bègles était prétexte à lui enseigner l'esprit de tolérance. Malgré ses

38

airs d'ours des Pyrénées et sa violence, Caps rêvait d'un monde où triompheraient la fraternité et la solidarité. Il avait lu tout Rousseau, dont il connaissait par cœur de nombreux passages. Acquis aux théories fouriéristes, il brûlait de répandre ces idées nouvelles. Malheureusement, Bègles n'était à l'époque qu'une pléiade de petits villages peuplés de vignerons, de tonneliers, de forgerons, de jardiniers et de quelques gros propriétaires, pas franchement préparés à se laisser séduire par cet idéal de société ! « Plutôt que de prêcher dans le désert à des gens qui bêlent un grand merci quand on les tond à ras le cuir, je préfère instruire de jeunes agneaux comme toi, Antoine », expliquait-il pour se consoler.

Un soir, il enchaîna :

— Tiens, Antoine, à propos de « prêcher », tu sais que nous sommes ici dans le quartier qu'on appelle...

— « Le Prêche », monsieur Caps ! le devança l'enfant.

— Mais sais-tu pourquoi il porte ce nom ?

Antoine ne trouva pas de réponse.

— Ah, mon garçon, voilà pourtant une illustration « historique » et authentique de la difficile condition des protestants, et en général de tous ceux qui ont des opinions religieuses particulières, dans ce pays ! On a appelé ce quartier « le Prêche », parce que c'est ici qu'en 1598, lorsque l'édit de Nantes leur a accordé la liberté de culte, les protestants ont installé leur temple, qui est le lieu où leur curé à eux, le pasteur, prêche la parole de la Bible. Ils ne sont pas venus ici par amour de notre ville. Les catholiques de Bordeaux ne voulaient pas les voir exercer leur religion, qu'ils désignaient sous le terme péjoratif de « prétendument réformée » ! Les réformés qui vivaient presque tous dans le quartier des Chartrons à Bordeaux ont donc choisi pour lieu de culte Bègles, qui présentait pour eux le double avantage d'être assez loin des marécages aux odeurs pestilentielles, et accessible par la Garonne. La plupart exerçait en effet des métiers tournés vers le fleuve et les océans. Ils étaient armateurs, pilotes au port de la Lune, simples matelots. Beaucoup d'entre eux venant d'Angleterre et de Hollande, les Bordelais, qui faisaient pourtant commerce avec eux, les traitaient d'« étrangers ».

Antoine l'écoutant avec attention, Caps poursuivit :

— Ils venaient à Bègles sur des couraux*, exactement les mêmes que ceux que tu vois aujourd'hui sur la Garonne. Ils accostaient au grand port. Des couraux, tu n'en verras jamais en dehors d'ici, Antoine, ce sont des bateaux typiquement bordelais, construits par des charpentiers bordelais.

Il reprit le fil de son histoire :

— Au début, les catholiques béglais n'ont pas été contents, mais alors pas du tout, de voir tous ces « réformés » chez eux. Il y a eu des altercations. Une fois, le pasteur a dû faire garder les portes du temple par des hommes en armes ; une autre fois, des agitateurs, venus des quartiers Sainte-Croix et Saint-Michel de Bordeaux, ont voulu empêcher ces malheureux de célébrer les fêtes de Pâques. Tout ça pour te faire comprendre, mon garçon, qu'ils étaient en butte à toutes sortes de brimades. À Bègles comme ailleurs, on n'aimait pas ces gens qui vivaient entre eux, qui reniaient l'autorité du pape et qui, par-dessus le marché, se montraient bons commerçants.

Caps fit une pause en regardant ses livres, puis il poursuivit :

– Ils se sont vite avisés que Bègles était très éloigné de Bordeaux, surtout en plein hiver ! Ils ont bien essayé de reprendre leurs célébrations aux Chartrons, où se tenaient déjà quelques réunions en cachette, mais le cardinal de Bordeaux, François de Sourdis, était intransigeant : ils ont dû se résigner. Pour ceux qui venaient à pied, le trajet avait tout d'un calvaire. Les voyous de Sainte-Croix et Saint-Michel, sans doute inspirés par quelques esprits bien-pensants, se donnaient rendez-vous au pont du Guit et harcelaient les malheureux fidèles, leur faisant subir brimades et humiliations. Ils prenaient un plaisir pervers à pousser et jeter les femmes, même les plus âgées, dans l'estey Majou. Elles en ressortaient trempées et transies, en plein hiver, tu imagines le cauchemar. Peut-être est-ce depuis cette époque que le pont du Guit est surnommé « le pont de mouille-quiou »...

Mais Caps s'émerveillait :

– Toujours est-il que, malgré les vexations et les provocations, les insultes, les jets de pierres, les profanations du temple, nos courageux « réformés » ont continué à faire chaque semaine le chemin des Chartrons à Bègles, jusqu'à la révocation de l'édit de Nantes, en 1685. Et pour te montrer, Antoine, combien ces gens-là étaient en avance sur leur temps, ils élisaient leurs pasteurs ! C'était tout de même un siècle et demi avant notre grande Révolution !

Il acheva :

– Le temple de Bègles a été détruit le 25 septembre 1685 par trois cents ouvriers. Tous les biens de la communauté protestante ont été donnés à la manufacture de l'église. Un mois plus tard, le 28 octobre, l'archevêque de Bordeaux est venu en personne à Bègles pour bénir la croix que l'on avait élevée sur les ruines du temple. C'en était fini de la religion protestante à Bègles, et des protestants. Mais tu vois, mon garçon, ajouta Caps en guise de morale, malgré leurs croix et leurs goupillons, malgré leurs tentatives pour essayer d'effacer la mémoire de ce lieu, rien n'y a fait. Les Béglais s'obstinent à appeler cet endroit « quartier du Prêche »... La mémoire, mon garçon, la mémoire, c'est notre seul rempart contre tous ceux qui veulent nous imposer leur vérité.

Chapitre 3

Ces deux années 1840 et 1841 furent sans doute les plus belles de la vie d'Antoine. Ne voyant plus son père à la « cachette », il croyait volontiers qu'il s'était arrêté de boire. « Il a gagné », jubilait-il. Il le voulait tant qu'il ne sut pas, pendant un temps, regarder la vérité en face. Antoine n'admettait pas que son père ne ressemblât point à l'idéal masculin qu'il s'était forgé, à travers André et Caps.

Il accueillait les occasions où son père faisait montre de force de caractère comme pain bénit. À travers Abel, sa propre fierté pouvait s'exprimer. Ce fut le cas le jour où il tint tête à Elien Soubiran.

Chaque quinzaine, le deuxième dimanche du mois dans l'après-midi, Soubiran venait prendre livraison des balais que le père d'Antoine confectionnait, en plus de son travail à la tonnellerie de Bazeille, pour améliorer l'ordinaire. Antoine était avec son père quand Soubiran descendit de sa petite voiture, devant la maison, et vint à leur rencontre.

— Ça, c'est du beau travail ! fit Soubiran en examinant l'un des balais sous toutes les coutures. Les brandes sont souples et ton éclisse de coudrier m'a l'air de bien tenir tout ça !... Rien à redire.

Pourtant, Soubiran ôta ses lunettes, les frotta avec son mouchoir Vichy en coton épais, puis les reposa sur le bout de son nez avant d'attraper un autre balai.

— Oui, oui, Graveille, c'est pas mal du tout, cette fois-ci...

— Comme toujours, monsieur Soubiran, répliqua aussitôt Abel, sûr de la qualité de son travail.

Soufflant un grand coup comme à chaque fois qu'il devait payer, « exactement à la façon d'un veau », pensa Antoine, Soubiran mit sa main à la poche et en sortit ses pièces de quarante sous.

— Au fait, on avait dit combien, Graveille ?

— Eh bien, deux sous, monsieur Soubiran... Mais vous savez bien que ce n'est pas assez.

— C'est le prix, répliqua sèchement Soubiran. Si tu n'es pas content, je te laisse le tout. Je ne suis pas en peine de main-d'œuvre, rajouta-t-il, avec hauteur, un rictus suffisant barrant son visage.

Antoine vit son père changer de couleur. Un instant, il crut qu'il allait lancer les balais à la figure de Soubiran.

— Ce n'est pas grâce à vous que les pauvres de mon espèce mangeront rôti-bouilli, monsieur Soubiran ! fit Abel en se redressant. Pour gagner sa croûte, il faut se lever tôt et se coucher tard !

L'autre gardait son argent dans son poing fermé, sachant que tôt ou tard Abel réclamerait son dû, et que lui, Soubiran, aurait ainsi le dernier mot.

– Si tu ne t'étais pas marié si jeune, lança-t-il comme une insulte, si tu avais été plus sage – il détourna son regard vers Antoine –, tu aurais moins de sangsues à nourrir. Voilà ce que c'est d'avoir le sang chaud, Graveille !

– Eh bien, puisque j'ai le sang chaud et que ça ne vous plaît pas, explosa Abel, je garde mes balais. Votre argent, auquel vous tenez tant, vous pouvez le remettre dans votre poche, je n'en veux pas.

Antoine n'avait jamais vu son père aussi grand ! À cet instant, il avait un géant à ses côtés. Il se souvint de ce que Caps lui avait dit des Béglais et se jura de lui rapporter l'attitude de son père à la première occasion.

– Pendant que les autres suent, ajouta Abel face à un Soubiran pétrifié d'étonnement de ce qu'un Graveille osât lui parler ainsi, vous, espèce de ladre, vous gagnez sans peine et sans risque. Vous avez beau venir de Bordeaux avec une voiture à mule et porter un sarrau déteint, vous ne trompez personne : tout le monde sait, ici, que vous êtes encore plus riche qu'on ne le dit... Allez, foutez le camp, je ne veux plus vous voir chez moi.

Il prit Antoine par l'épaule et le serra contre lui.

– Je n'ai pas besoin de vous pour nourrir mes enfants, Soubiran, chez les Graveille on ne demande plus l'aumône...

Tandis que la voiture de Soubiran s'éloignait sur la Caminasse, Abel expliqua à son fils :

– On prétend que ce type connaît tous les trous de misère au bord de la Garonne et que, à chacun, il passe des commandes différentes sans que personne sache où il les expédie. Ceux qui sont allés le voir rue de la Rousselle disent qu'il a une maison de rien du tout : un bureau minuscule avec un magasin à côté où travaillent sa femme et sa fille. Mais Soubiran, il tient tous les pauvres du coin dans sa main, tous lui doivent quelque chose, celui-ci pour l'achat de sa terre, celui-là pour ses frais de maladie... « Ne t'en fais pas pour ça, leur dit-il, tu me le rendras miette à miette, quand tu pourras. » Et voilà comment le vieux arrive à lier des gens pour la vie et à les payer des salaires de famine... Eh bien, moi, mon fils, il ne me tiendra pas !

Antoine sauta au cou de son père. Il n'avait pu retenir ce geste inhabituel où Abel ne vit qu'une marque d'affection.

Depuis que les Graveille n'étaient plus menacés chaque jour par la misère, la bonne humeur était revenue dans la maison. Abel enseignait aux enfants des tours de main, les taquinait, distribuant avec plus d'entrain réprimandes et compliments. Il embrassait volontiers sa femme qui avait retrouvé le sourire, malgré le travail qui pesait sur elle avec les enfants, les travaux domestiques et ses emplois occasionnels de savonneuse. Louise se plaignait rarement de son sort. C'était le lot de sa famille depuis des générations de trimer pour obtenir la moindre chose, et elle n'imaginait pas que l'on pût rien changer à un tel état de fait. Certains naissaient pauvres, d'autres riches. C'était la vie.

À Auginiac, où elle était née, aux confins de la Dordogne aux forêts épaisses et profondes, elle avait vu sa mère et sa grand-mère travailler dur. Pour faire « cuire le chaudron », tous les bras étaient bons. Et on ne regardait pas s'ils étaient mâles ou femelles. Une vie de chien, où l'amour n'avait pas sa place. Françoise, sa mère, louait ses bras à un forgeron du village qui sous-traitait pour la coutellerie de Nontron. Quand « la vieille » ne pouvait pas garder Louise, parce qu'il y avait trop à faire, sa mère l'emmenait avec elle dans un panier à linge en osier, et l'installait tout près de la forge où elle frappait l'acier incandescent. Et ses coups de marteau n'avaient rien à envier à ceux de son patron.

Louise fut bercée tout enfant par les bruits de la forge. Ce martellement puissant avait aussi forgé sa ténacité, sa volonté, son courage, indomptable dans les moments difficiles de sa vie de femme. « On ne fait plus de ces femmes-là », pensait-elle. Des femmes sèches, aussi coriaces que du chêne pelé, recuites au soleil et délavées à la pluie, des femmes qui trouvaient le moyen de vivre si vieilles qu'elles semblaient vouloir porter la preuve que plus la vie est dure, plus elle dure.

À trente ans, vêtue de noir comme sa mère et sa grand-mère au même âge, Louise avait le visage marqué par le labeur. Seule la nuit lui accordait un peu de répit. Encore fallait-il que la dernière, Isabelle, ne se mît pas à la réclamer au beau milieu de son sommeil, pour n'arrêter de pleurer qu'une fois dans ses bras.

Louise était devenue l'esclave de cette enfant. Elle l'emmenait partout. Avec les cannes souples de l'aubarède* de Tartifume, Abel lui avait confectionné une sorte de hotte à fond pointu dans laquelle elle mettait Isabelle chaque fois qu'elle « descendait à l'estey » pour savonner le linge des Carayon-Latour. C'était la seule activité qui lui rapportât un peu d'argent. Tout ce qu'elle gagnait à faire la savonneuse, elle le mettait de côté pour que son Antoine « ait une vie meilleure que la nôtre, lui qui est si capable ».

Tous les mardis, jour des savonneuses, elle remplissait ses deux mannettes de linge sale, les installait sur la brouette avec la boîte à laver et le seau de savon noir, et descendait à l'estey avec sa fille sur son dos. La mairie avait fait construire un toit, un espace ouvert aux quatre vents, au-dessus de l'estey de Francs, tout près de l'endroit où il se jette dans la Garonne. Chacune payait son droit de place, d'autant plus élevé qu'il était plus en amont. Louise s'installait au milieu, à côté de la femme Bellard, la mère d'André. Aussi ardentes au travail l'une que l'autre, elles s'entendaient bien, réunies par une commune adoration pour leurs fils respectifs, qui nourrissait l'essentiel de leur conversation.

Louise posait Isabelle dans sa hotte à distance de regard, calait sa boîte à laver, sortait son linge et le tartinait de savon. Alors commençait le ballet des battes qui écrasaient le linge à coups mats, éclaboussaient les visages des savonneuses et fleurissaient l'eau de flocons neigeux.

Tandis que les mains rouges et gonflées des savonneuses tordaient le linge, le pressaient et l'empilaient sur le bord de l'estey, les conversations, plutôt les commérages, auxquels Louise ne se mêlait jamais, allaient bon train.

— Vous saviez que la Léontine a remis le grand tablier ? essaya l'une.

— C'est qu'il y a du mauvais dessous ! répliqua une autre.

— Ça serait pas la huitième fois ? demanda une troisième.

— Tiens ! C'est pas un homme qu'elle a, je vous dis, cette femme-là. Je te lui en ficherais, moi, à cette espèce de bouc ! reprit la première

— On fait comme on peut ! plaida Louise, timidement.

Comme elle étalait une chemise sur l'eau troublée de bleu, une grosse boule gonfla soudain à l'endroit du ventre, tendant l'étoffe mouillée.

Elle se mit à rougir et, d'un geste pressé, attira la chemise vers elle. Toutes les autres avaient vu sa gêne.

— Ben quoi, Louise, tu nous cacherais quelque chose ? lança l'une de ses voisines en riant.

Elle n'eut pas le temps de protester. L'autre, hargneuse, se lança dans un couplet qui lui fit l'effet d'un coup de poing.

— Quand on marie un mécréant, on n'a que ce qu'on mérite ! Il a beau faire fine gueule depuis qu'il est à la tonnellerie, ton Graveille, c'est un sale lapin. Et tu en crèveras, ma belle, c'est moi qui te le dis. J'aime encore mieux le mien qu'est un soûlard et un jean-foutre. Pendant qu'il est avec les autres à traîner, au moins, y m'encombre pas ! Regarde-toi, malheureuse, t'as beau dire et beau faire, vous vous êtes mariés trop verts avec Graveille. Si tu lui avais laissé le temps de voir ce qui se passe ailleurs avant de vous mettre à votre compte, il aurait peut-être un peu moins la bougeotte aujourd'hui !... Moi, si c'était à refaire, j'en prendrais un de soixante ans !

Elle éclata de rire, mais d'un rire nerveux, qui ne parvenait pas à dissimuler la profondeur de sa propre solitude.

Une sourde tristesse envahit Louise, qui se mit à taper de plus belle sur son linge pour ne pas être débordée par la douleur. Tout ce que venait de lui lancer la Blanche Donnadieu à la figure, elle se le disait depuis longtemps, mais son orgueil de femme se révoltait à entendre ainsi jeter sur la place publique une blessure aussi intime. Elle préférait le silence, même hypocrite, qui respectait sa dignité. L'humiliation, les douleurs au ventre, l'émotion qui noue la gorge et le torrent de larmes qui jaillit à la première parole, elle les reconnut : c'étaient les mêmes que le jour où elle avait été chassée de la maison familiale. À cause d'Abel, déjà.

Abel appartenait à l'une des familles les plus pauvres d'Auginiac, une famille de mauvaise réputation, qui vivait d'expédients et de braconnage. Un tombereau d'histoires, toutes plus noires les unes que les autres, courait sur son compte. On racontait que Camille Graveille, le père d'Abel, avait vécu avec les loups de la forêt Barrade après que sa famille avait été décimée par la disette de 1789. Et que sa mère, la Clémentine, pouvait jeter le mauvais sort.

Tout le village se méfiait des Graveille, « des gens qui sont nés pour faire le mal », grommelait la grand-mère de Louise. De tous les Graveille, enfants compris, comme si leurs parents avaient pris un malin plaisir à leur transmettre le « mauvais génie ». Le fait est que, dès l'âge de huit ans, Abel se révéla un redoutable visiteur de basses-cours, capable de déjouer toutes les surveillances. En grandissant, il avait acquis une réputation de coureur de jupons et de joueur. Les mères ne le laissaient pas s'approcher de leurs filles parce que, en plus, il avait le culot d'être beau et séduisant. Il savait parler aux femmes.

Malgré cette réputation sulfureuse et les mises en garde de sa mère et de sa grand-mère, Louise était tombée amoureuse d'Abel. Une vraie passion qui occupait toutes ses pensées. Elle ne s'appartenait plus. Aucune des raisons qu'elle se donnait en son for intérieur pour se convaincre du danger d'une telle attirance ne pesait face à son coup de cœur pour ce jeune homme pas comme les autres. Rétif à l'ordre établi, libre d'allure, il la fascinait.

Elle se sentait littéralement possédée par Abel, et faisait en sorte de le retrouver le plus souvent possible, au prix des mille subterfuges que peuvent inspirer la passion et le désir. Plus elle tremblait de tomber dans les griffes de ses gardiennes, et moins elle pouvait renoncer aux risques inouïs qu'elle prenait avec Abel. Enfreindre les interdits augmentait son trouble, lui donnait l'impression de découvrir pleinement la vie.

Louise devint une maîtresse insatiable, audacieuse. Elle croquait avec gourmandise les délices des rencontres clandestines. La résignation obligée qu'elle montrait chez ses parents nourrissait les appétits cachés de la femme en elle, qui bouillait du besoin de laisser parler ses sens. Avec Abel, elle brisait le carcan sévère où l'avaient enfermée les femmes de sa famille. Abel, c'était sa part de liberté.

Ce qui devait arriver arriva. Un matin, le visage livide, elle lâche sa couture et presse son ventre en se tordant les mains.

On porte Louise sur son lit. Elle se tord de douleur. La vieille lui applique, à même la peau, des briques chaudes et du son brûlant ; Louise gémit, hurle, se tord tandis que sa mère l'asperge d'eau bénite et supplie « la Très Sainte Vierge Marie ». Il n'y a plus rien à faire, la vie a gagné : les deux femmes sont bien obligées de prendre entre leurs mains l'enfant que Louise vient de mettre au monde.

Antoine naît le 27 mai 1832. Louise a dix-huit ans. À peine remise de ses couches, elle est chassée pour avoir « déshonoré la famille ». Elle enveloppe son fils dans un couffin de fortune et l'emporte avec elle. Il faut partir, vite. Son père a sorti le fusil pour Abel... Au petit matin, les deux amants, honnis par le village, quittent Auginiac avec leur enfant. Ils n'y reviendront jamais.

Louise refusera désormais toute relation avec sa famille. Quoi qu'il lui en coûte, elle ne répondra jamais à l'appel pathétique reçu de sa mère un jour de 1834, sous la forme d'une lettre écrite, sous sa dictée, par le curé d'Auginiac.

Ma chère fille,
Le temps a passé depuis que tu es partie de chez nous. La vieille, ma pauvre mère, est morte de chagrin l'hiver qui a suivi ton malheur. Elle ne sortait plus et marmonnait le jour et la nuit des litanies sur

la perte de sa « petite Louise ». Elle t'aimait, tu sais.
Ton père n'est plus le même. Lui qui était toujours
prêt à rendre service est devenu méchant. Il ne sup-
porte plus personne et va jusqu'à me faire reproche
de parler aux gens du village. Il m'en fait voir, tu
sais. J'ai beau lui répéter que ton malheur ne peut
entacher notre réputation, il ne veut rien entendre.

C'est vrai qu'ici personne ne me manque de res-
pect, à part quelques bourgeois de Nontron qui
feraient bien de regarder dans leur propre maison
où il ne manque pas de bâtards... La maison est vide
sans toi, ma Louise, et je sais maintenant que per-
sonne ne pourra jamais te remplacer.

J'ai parlé discrètement à la Graveille (ton père
me tuerait s'il le savait), elle est bien malheureuse,
elle aussi, de n'avoir aucune nouvelle de son fils.
Finalement, cette Léontine est une brave femme.

Ma Louise, il faut me pardonner si j'ai laissé ton
père te chasser de la maison. Je m'en suis confessée
depuis à monsieur le curé, qui a la gentillesse
d'écrire cette lettre pour moi, il dit que la Sainte
Vierge ne peut refuser sa protection à une fille
comme toi...

Je suis vieille maintenant, ma Louise, j'aimerais
tant te revoir avant de mourir.

Ta mère.

Jusqu'à ce qu'elle disparaisse à son tour, Louise
gardera cette lettre sans réponse, comme la preuve

ultime de son amour indéfectible pour une mère, qu'elle laissera pourtant mourir dans le chagrin du silence. Sa religion à elle, faite d'amour-propre et d'orgueil, lui interdisait le pardon.

Chapitre 4

Chassés, perdus d'honneur, ils eurent d'abord grand soin de se dissimuler, cherchant dans les forêts l'abri et la nourriture que leur procuraient les talents de braconnier d'Abel. Six mois, ils furent ainsi sur les chemins de Dordogne, de Charente et de Gironde, aiguillonnés par la faim et la misère.

Entre la Dordogne et la Charente, en pleine forêt de la Double, réputée impénétrable et crainte de tous les voyageurs à cause des loups, Abel fit le passeur de sel et de lard. Il n'y avait pas meilleur pour éviter les gabelous !

Dans les bois, il avait le pied sûr. Il savait éviter les branches mortes qui, en se brisant, le signaleraient aux douaniers. Il gardait l'oreille tendue, comme un chevreuil. « Quand on marche, la forêt paraît muette, mais au repos, on l'entend vivre, répétait-il à Louise chaque fois que ses pieds manquaient d'assurance. Il faut se méfier des geais, il n'y a pas pire mouchard. Ils se laissent approcher, puis brusquement s'envolent en poussant des cris stridents. Si les gabelous sont dans les parages, ils nous lâchent leurs chiens, et plus rien à faire pour leur échapper. »

Pour passer sans encombre la frontière entre les deux départements, Abel avait dissimulé sa fraude au milieu d'un fagot. Depuis l'âge de dix ans, il savait où trouver le bois mort et comment fagoter : d'un revers de serpe, à bout de lame, il rase les brindilles, fait la toilette des branches et redresse d'un coup celle qui pourrait résister au serrage.

Il porta sa première brassée, bien serrée contre la hanche gauche, jusqu'à l'endroit où Louise l'attendait. Tout autour, il abattit des petits arbres secs, coupa des brins de sorbier, les tordit en harts* et composa sa bourrée*. Un premier lit de ramilles pour que les nœuds et les ergots n'entrent pas dans l'épaule ; à l'intérieur, les morceaux encore verts et, dehors, de beaux rondins de chêne en guise de parure. Quand son fagot fut prêt et bien « lardé », il se confectionna un petit matelas de mousse pour protéger son cou et, d'un geste vigoureux, envoya le chargement sur son épaule.

Lui avec son fagot, et Louise avec son Antoine, ils marchèrent dans la forêt jusqu'à une auberge située dans les écarts de Saint-Christophe-de-Double, où Abel devait faire sa livraison.

L'intérieur de la baraque, faite de bois et de paille, baignait dans une épaisse fumée où les lampes à pétrole dessinaient des halos. L'âcre odeur du tabac et de l'alcool, mêlée à la transpiration des hommes, piqua le nez d'Abel qui éternua en entrant dans la salle.

— Ben alors, jeune homme, lança du fond de la pénombre une voix rocailleuse, ce s'rait-y le bon tabac à priser qu'auront pas les gabelous, qui t'fait éternuer comme ça ?

Quand son regard se fut accoutumé à l'obscurité, Abel put distinguer la dizaine de visages hirsutes, aux bouches édentées, qui riaient à gorge déployée, à ses dépens. Tous ces hommes, affalés sur les tables, avaient beaucoup bu. La patronne, une grosse femme couverte de sueur, lui fit signe d'avancer. Elle donna une chaise à Louise qui dégrafa aussitôt son corsage pour allaiter Antoine.

— Tu prendras bien un verre ? dit-elle à Abel, en lui servant une grande rasade d'un vin épais et noir comme de l'encre. Alors, t'as ta livraison ?

Abel lui indiqua du menton le fagot qu'il avait laissé à l'entrée de l'auberge.

— Apporte-moi ça jusqu'ici, que je vérifie la marchandise d'abord, fit-elle d'un ton autoritaire.

Satisfaite, elle lui paya son dû, puis emporta la marchandise dans un petit réduit où se trouvaient d'autres femmes, qui cachèrent lestement sous leurs jupons tout ce que les gabelous ne devaient pas voir.

Les Graveille passèrent la nuit dans ce repaire de contrebandiers avant de reprendre la route du sud aux premières heures.

Plus tard, Abel se loua pour ce qu'il savait faire. À La Roche-Chalais, il fut ouvrier agricole dans la petite ferme des Villate. Ici, aucune exploitation n'excédait trois hectares. La majorité des terres appartenait aux seigneurs, rejetons de grandes familles rentrés dans leurs biens après la Restauration, ou parvenus enrichis sous l'Empire.

La mère Villate, malade des bronches, ne pouvait plus aider au travail de la ferme et son fils, que l'on surnommait « Néné » au hameau parce qu'il était un peu simple d'esprit, n'était pas capable de la remplacer. Le père Villate s'était donc résolu à prendre un aide. Abel fit vite l'affaire. Il s'occupait des bêtes avec des méthodes si peu ordinaires mais si sûres que le père Villate, qui l'avait d'abord pris pour un original, avait fini par admettre : « Ce gouillas* a un don. » Du coup, à la foire de la Sainte-Catherine, Abel avait eu le privilège de choisir le porcelet appelé à devenir le cochon de la maison, que l'on tuerait à la fin de l'année.

À La Roche-Chalais, comme dans toutes les campagnes du Sud-Ouest, tout le monde élevait un ou deux porcs, auxquels on tenait comme à une fortune. Le cochon, c'était la caisse d'épargne des gueux. Abel comprit qu'en lui demandant de choisir le porcelet de la Sainte-Catherine, Villate en disait long sur la confiance qu'il accordait au « gouillas ».

Un jour qu'il revenait du pré où il avait conduit les vaches, Abel trouva le Néné assis au coin de l'âtre, la mâchoire tremblante et le visage décomposé :

— Le cochon est malade, Graveille, fit-il, le regard en dessous, comme si, dans sa naïveté, il se jugeait responsable de la catastrophe.

Comme chaque matin, il lui avait porté son seau de pâtée. D'habitude, le cochon se jetait sur l'auge, il y barbotait du groin et des pieds, il y reniflait, il y bâfrait mais, ce matin, il avait boudé. Son cou brûlait de fièvre. Il geignait et refusait de se coucher.

— Il sera crevé demain, Graveille, c'est un grand malheur, dit Néné, terrorisé, pour conclure son récit.

Abel se dirigea aussitôt vers la porcherie. Le derrière contre le mur, l'animal grognait. Molle comme une corde, sa pauvre queue pendait, déroulée et mince. Néné lui fit remarquer qu'il avait trouvé quelque chose de bizarre dans la fiente de la bête.

— Il a mangé du poil, ton cochon ! s'exclama Abel, ce gourmand a dû dévorer sa litière et se boucher le gros boyau... Néné, va me chercher ton père et Dumas, le voisin, je vais avoir besoin d'eux.

Abel, aidé des deux hommes, s'assit à califourchon sur la bête étendue et lui maintint les pattes malgré ses soubresauts affolés. À la cuillère, il lui fit entrer de l'huile de noix dans le fondement jusqu'à ce que, poussant des hurlements terribles, elle dégageât ce qui menaçait de la faire crever. Fier de lui, Abel se retourna vers Néné :

— Tu vois, Néné, un cochon, ça se soigne comme si c'était un de tes enfants !

Néné prit le cochon dans ses bras. Il aimait ces bêtes moquées et méprisées, comme lui, à cause de leur manque d'intelligence supposé. Il aimait leur œil rieur et le jeu de leurs oreilles : de gais compagnons, aussi dociles et fidèles que des chiens. Il les aimait tellement ses cochons, Néné, que le jour fatidique il s'enfermait dans la maison et se bouchait les oreilles pour ne pas entendre les cris de la pauvre bête que l'on égorgeait. Quand Abel tua celui-là, il pleura longtemps. Pourtant, le père Villate n'avait jamais vu aussi habile qu'Abel. Sur le lit de paille qui servit ensuite à le flamber, il égorgea le cochon avec adresse. D'un coup infaillible, la petite lame triangulaire du couteau s'était enfoncée dans la gorge jusqu'au manche et avait tranché net la carotide.

– Il n'a pas souffert, dit la mère Villate admirative.

Elle était venue avec une bouteille d'eau-de-vie de prune dans une main et un verre dans l'autre :

– Une petite goutte, Graveille ? Tu ne l'as pas volée.

Abel resta tout l'hiver chez les Villate. Il y avait fait sa place. Mais ses projets ne s'arrêtaient pas à La Roche-Chalais. Ils repartirent au printemps.

De Libourne, Abel et Louise avaient toujours entendu parler par leurs parents. Depuis des générations, Libourne était l'horizon doré des paysans pauvres de Corrèze et de Dordogne, leur Amérique à eux. Tel arrière-grand-père, tel lointain ancêtre gabarrier avait autrefois pris la route de Sainte-Foy-la-Grande et de Libourne, chargé du meilleur des produits de son maigre terroir. Avec ses grands vignobles de Pomerol, Fronsac et Saint-Émilion, et deux rivières à ses pieds, Libourne était un pays de cocagne, pour ces habitants des terres rudes et peu généreuses qui s'étendaient au nord.

Albert Guignasse avait été parmi les premiers aventureux à s'y installer. Il avait monté un atelier de forgeron sur le quai du Priourat, au bord de la Dordogne, spécialisé dans les « clous forgés » qu'utilisaient les chantiers navals de Castillon et même le célèbre chantier Tramasset, au Tourne, sur la Garonne, pour construire les gabarres destinées à transporter les barriques de vin. Guignasse, ayant pris Abel comme troisième apprenti, n'aurait laissé à personne d'autre le soin de lui montrer les gestes de son métier.

Il avait commencé par l'équiper d'un tablier en peau de bique au poil tourné vers l'intérieur, « poil contre poil », avait-il souligné, et avait glissé des lames de cuir dans ses sabots pour protéger ses chevilles des étincelles. Puis il s'approcha de l'enclume, la serra entre ses cuisses légèrement fléchies. Un marteau à long manche dans sa main droite, lié à son pouce par une languette en basane, sa main gauche protégée d'un gant de cuir épais, il retira du brasier, d'un geste sûr, une tige de fer rougie à point pour l'étirer d'un coup de marteau si puissant qu'Abel eut un mouvement de recul involontaire. Guignasse enchaînait les gestes avec la précision d'un automate. Il interrompit sa démonstration :

– À toi. Voilà le marteau, c'est lourd, mais ça rend têtu. Frappe, frappe raide et longtemps.

L'apprentissage n'alla pas sans mal : Abel se laissa brûler par les étincelles et faillit s'écraser les doigts à plusieurs reprises. À la fin de l'exercice, il était moulu des pieds à la tête, comme après une longue journée de braconnage en forêt Barrade, ses oreilles bourdonnaient, des gouttes de sueur brouillaient son regard. Il doutait de lui.

Il s'essuya le front et tenta d'y voir plus clair. Entre-temps, un autre apprenti s'était mis à l'enclume. Il avait le rythme et cognait dru sur la tige. En trois coups, il faisait un clou qui tombait aussitôt sur le tas aux reflets bleus qui refroidissait à ses pieds. Trois coups nerveux, énergiques, sans dépense inutile. Il faudrait du temps à Abel avant de savoir ainsi épargner son bras et retirer la tige du feu juste au « blanc suant », c'est-à-dire sans la griller. Le temps que « ça devienne de l'instinct », comme le lui répétait Guignasse.

Abel s'y mit de son mieux, par nécessité, et par amour-propre. Guignasse ne faisait pas de cadeaux aux faibles et aux maladroits. Martial en savait quelque chose, grand garçon gauche de quatorze ans, poussé trop vite, dont le père travaillait la vigne comme journalier « dans les châteaux ». Tout l'atelier l'avait surnommé « la Brindille ». Il était le souffre-douleur de tous et c'est Guignasse qui menait le jeu.

– Tant qu'on ne sait pas tenir un clou brûlant dans sa main, on n'est pas un homme ! Allez, montre-nous que le poil te pousse, attrape !

Et il lui lançait un clou à peine noir que le gosse s'obstinait à garder dans sa paume pour faire bonne figure, sous les huées de l'atelier. Une autre fois, l'un des ouvriers, sous le regard complice de Guignasse, l'avait envoyé dans la cheminée de la forge voir pourquoi elle tirait mal. Il avait attendu que le malheureux fût bien avancé dans le conduit pour donner un coup violent sur la hotte et le faire dégringoler au sol, plus noir qu'un ramoneur, toussant et se frottant les yeux, cherchant l'air. Les brimades de ce genre n'étaient pas rares dans la maison Guignasse. Abel y était resté trois mois, le temps d'apprendre la technique des clous forgés et les rudiments du métier.

Louise, elle, s'était louée comme savonneuse dans les bonnes maisons et avait fait les vendanges au château La Conseillante, sur recommandation : les Nicolas ne constituaient leur troupe de vendangeurs qu'avec des gens qu'ils connaissaient déjà, ou dont ils étaient sûrs. « Une grappe est une grappe ! Elle doit aller dans les bastes* et non dans les poches ! » Tel était le mot d'ordre des « châteaux », que les chefs de troupe appliquaient avec un soin vigilant.

Poursuivant la quête qui les jetait en avant depuis qu'ils avaient été chassés d'Auginiac, les Graveille quittèrent Libourne à l'automne 1833 en direction de l'Entre-Deux-Mers. Ils s'arrêtèrent à Créon pour y attendre le retour des beaux jours. Jusqu'alors, Louise n'avait pas un instant douté de son choix. Abel s'était montré attentif, courageux, débrouillard. Ils étaient passés par bien des moments difficiles au cours de leur fuite, mais ils avaient fait front ensemble. Louise avait découvert avec bonheur que son amant était aussi un homme responsable, sur qui elle pouvait compter.

Mais, à Créon, Abel se lia d'amitié avec un certain Mazières qui tenait l'auberge derrière l'église et faisait en même temps le maréchal-ferrant. Profitant du métier qu'il avait appris à Libourne, Abel lui donnait un coup de main de temps en temps et ne crachait pas sur les tournées d'absinthe ou de petit vin blanc de l'Entre-Deux-Mers. Petit à petit, il prit chez Mazières l'habitude de l'alcool.

Mazières était un personnage dans le pays. Intelligent, instruit comme il l'était, que faisait-il à Créon ? Il laissait entendre qu'il avait été à Paris, personne ne savait ce qu'il y avait vraiment fait. En tout cas, il savait tirer le meilleur parti d'un physique romanesque et d'une histoire chaotique. Il portait un anneau d'or aux oreilles et gardait sur lui « la patte de lapin », signe de reconnaissance des Compagnons de la liberté qui avaient fait leur Tour de France. Hébergeant chez lui des visiteurs, des compagnons de passage peut-être, il ne faisait jamais de commentaires sur eux, ce qui contribuait à peu de frais à son mystère.

Mazières était un mécréant convaincu et fier de l'être : « Ça me vient de famille, répétait-il, j'ai reçu la haine des curés en héritage. » À preuve l'histoire, devenue célèbre à Créon, de son grand-père, Léonce.

Tout avait commencé parce que Léonce avait eu besoin de crin pour tendre aux grives. Il exerçait le noble métier de croque-mort et conducteur de cor-billard à Lisle, sur les bords de la Dronne. Mais on ne mourait pas tous les jours à Lisle ! Pour passer le temps, il s'adonnait à ses trois activités favorites qui étaient, dans l'ordre, la chasse aux grives, le bistrot de Marie Naboulet et le jardinage.

Sous des dehors frustes, Léonce était un brave homme. Pour son malheur, les enfants du village craignaient l'« homme noir » comme un vieil épou-vantail, et se dispersaient en volée de moineaux effa-rouchés sur son passage. Attristé, il noyait sa mélan-colie dans l'absinthe.

Un dimanche matin après la messe, à laquelle il ne mettait jamais les pieds, y compris les jours d'enterrement où il restait sur son corbillard, il aper-çut une belle queue noire, longue et bien fournie, du crin de tout premier ordre. Au bout de cet ornement, il y avait un cheval, derrière le cheval, un cabriolet rangé sagement devant l'Hôtel du Commerce. Il reconnut aussitôt l'attelage du curé-doyen. Les mécanismes simples de son intelligence embrumée par les vapeurs de l'absinthe de Marie Naboulet ne firent qu'un tour : s'approcher du cheval, sortir son « Nontron » et, d'un coup sec, trancher dans le crin une belle touffe furent l'affaire d'un instant.

– Mille crins au moins ! dit-il en contemplant son butin, voilà de bonnes réserves pour tendre aux grives !

Il repartit tout heureux.

C'était sans compter sur la vigilance de « madame Agathe », la gouvernante du curé Froidefond, qui s'empressa de rapporter l'affaire à son patron. Menacé du tribunal et, peut-être, de la prison, Léonce dut se rendre au presbytère et promettre cent sous pour payer sa poignée de crins. D'autant que l'affaire tombait très mal : Léonce devait marier sa fille unique, dans l'année, à un jeune homme dont la famille tenait à l'eau bénite. Le parti n'étant pas vilain, Léonce s'était dit : « Le gendre vaut bien une bénédiction ! »

Mais, le jour venu, il refusa la messe « à grand tra-lala » pour rester le moins longtemps possible dans l'église et, surtout, pour ne pas enrichir le curé ! Sinistre jour pour la mariée : au-dessus du chœur pendait un grand voile de crêpe et les murs étaient tendus d'oriflammes noires... un enterrement de première classe devant avoir lieu le lendemain ! De se voir obligée d'accepter l'anneau auprès du catafalque, la mariée sentit son sang se figer. La mère de

Mazières ne remit jamais les pieds dans une église et éleva son fils dans la haine des curés.

Léonce fut l'un des tout premiers du village à se faire enterrer civilement. Au grand scandale des âmes pieuses, il prenait ainsi sa revanche sur le curé Froidefond.

Mazières contait avec art les épisodes de cette histoire familiale, mettant en avant ceux qui pouvaient lui donner de l'importance. Beau parleur, orateur exceptionnel, il savait suggérer sans dire, convaincre sans jamais s'engager, affirmer tout en se ménageant des portes de sortie. C'était un maître du paradoxe.

À Créon, sa « grande gueule » ne plaisait pas, il était trop dérangeant, ne respectant rien ni personne. Les habitants du pays ne fréquentaient pas son auberge. C'est cette réputation sulfureuse qui, justement, attirait Abel. Il croyait retrouver en cet homme l'indépendance et la rébellion de sa jeunesse. Il fut tout de suite attiré par ce personnage trouble, qui flattait en lui l'aventurier, le conspirateur et le marginal.

Quand ils étaient bien imprégnés d'entre-deux-mers, Mazières sortait ses livres et déclamait à haute voix les passages qui faisaient l'éloge de la révolution : « Ceux qui travaillent doivent garder le produit de leurs peines. En besognant en commun, il n'y aurait plus de riches ni de pauvres. S'instruire et s'unir, c'est le progrès, l'avenir. » Abel s'exaltait à ces projets de société et, quand Mazières oubliait, il lui demandait d'ouvrir ses livres.

Mais, pour le malheur d'Abel, en même temps que Mazières éveillait son esprit et l'ouvrait aux idées nouvelles, il éprouvait de la jouissance à le pousser vers l'alcool. Il « tenait » Abel, il en était le maître. Louise déploya toute son énergie et sa force de caractère pour sortir Abel de ce piège. Elle avait pris Mazières en haine. Chaque fois qu'Abel prononçait son nom, elle se signait et crachait par terre.

C'est elle qui fit la connaissance de Moustey, le frère du curé de Bègles, qui leur ouvrit des perspectives du côté des bords de Garonne.

Ils partirent de Créon comme ils étaient partis d'Auginiac, sans se retourner.

Chapitre 5

Le 20 juillet 1841, sous l'effet conjugué de fortes marées et de pluies intenses, la Garonne déborda, provoquant d'importantes inondations. Les palus étaient « à blanc » et la Caminasse, recouverte de trente centimètres d'eau, impraticable. L'eau avait recouvert le petit jardin qu'Abel s'était aménagé tout près de la maison. Pendant trois jours et trois nuits, les Graveille restèrent totalement isolés ; pendant trois jours et trois nuits, on vit défiler sur la Garonne des cadavres de chevaux, de vaches, de cochons que les eaux avaient noyés dans leurs étables. Un vrai spectacle de fin du monde, comme on n'en avait pas vu depuis la grande crue « historique » de 1801. Au quatrième jour, la Garonne regagna son lit. Le brusque retrait des eaux eut pour effet de retenir des milliers de poissons prisonniers dans les fossés des palus.

André, que son père avait envoyé aux foins dans la ferme de ses amis Raimbaud, revint un soir avec une carpe de sept kilos qu'il avait harponnée d'un coup de fourche. Il n'était pas peu fier de sa prise, qui en annonçait d'autres.

– Tiens-toi prêt, annonça-t-il à Antoine, dès que les eaux seront assez basses, je te promets une pêche miraculeuse !

Plutôt que d'attendre chez lui, Antoine choisit d'accompagner son ami à la ferme.

Quand il le vit arriver, marchant crânement au côté d'André, le vieux Raimbaud, que tout le monde ici appelait « monsieur Alexandre », lui lança en riant :

– Alors, Graveille, tu es venu pour balancer les bottes aux charrettes ? Tiens, prends ma fourche, tu vas me remplacer.

Antoine, ne comprenant pas tout de suite l'humour du vieux, saisit la fourche, la planta dans une botte, et se retrouva le cul dans l'herbe aussitôt qu'il essaya de la soulever, sous les rires bienveillants des journaliers. Vexé, il se releva prestement en regardant monsieur Alexandre droit dans les yeux.

– C'est bien, tu as essayé. Je voulais seulement savoir si tu es courageux, fit le patriarche en reprenant sa fourche. Tu vas rester avec moi et tu iras porter à boire aux gars des charrettes quand ils t'appelleront.

En quelques heures, il devint la coqueluche des journaliers. Il trouvait plaisir à monter sur les char-

71

rettes où le hissait une main sûre, et à escalader jusqu'au sommet les montagnes de foin. De là, dominant le monde, il éprouvait un bonheur total.

Cette nouvelle découverte de la campagne béglaise, qui occupait toute sa curiosité, aurait fini par lui faire oublier les promesses de pêche miraculeuse si André n'était enfin arrivé en criant :

– Allez, les gars, tous au palus !

Armés de pelles, de seaux et même d'une grande lessiveuse prêtée par la mère Raimbaud, ils se trouvèrent une dizaine à pied d'œuvre, sous les ordres d'André.

À coups de pelle, ils commencèrent par ériger un barrage en travers du fossé, large d'à peine un mètre. À certaine distance du barrage, décidée d'un coup d'œil par André, on fit entrer de l'eau.

– Avancez en piétinant pour rabattre le poisson, ordonna-t-il.

Soudain, il arrêta son monde d'un geste. Les trois premiers continuèrent à piétiner dans l'eau, tandis que tous les autres construisaient un second barrage à toute vitesse.

Aussitôt qu'il fut terminé, André lança d'une voix sûre :

– Maintenant, on vide.

Chacun, à l'aide d'un seau, entreprit de mettre le fossé à sec entre les deux barrages. Des sillons mouvants apparurent à la surface de l'eau, dessinant des arabesques. Tout indiquait que la prise allait être bonne. Le niveau de l'eau baissait encore : couchés sur le flanc, cherchant l'air convulsivement, apparurent aussitôt des carpeaux, des tanches, des perches et des brochets par dizaines.

L'opération fut renouvelée de l'autre côté du premier barrage, avec le même succès. Mais restaient encore les anguilles, enfouies dans la vase. André se chargea seul de ce délicat travail en enfonçant ses grosses mains dans la vase à la recherche de ces proies ondulantes. Sur le pré, où il les jetait une par une, s'engagea une sorte de course folle et désordonnée à la poursuite des reptiles gluants. À ce jeu-là, Antoine ne fut pas le plus maladroit. Quelques-unes réussirent à disparaître dans les anfractuosités du sol, mais la plupart finirent dans la lessiveuse. André répartit le butin entre ses compagnons crottés et fourbus. À Bègles, ce soir-là, on fit bombance.

André confirmait son ascendant sur Antoine. Ce que l'enfant admirait de plus en plus chez son camarade plus âgé, c'était sa manière d'être, libre, autonome. André ignorait magnifiquement les contraintes, pour vivre selon ses choix. Il ressemblait beaucoup à ce qu'avait été Abel à Auginiac. Sans le savoir, en fréquentant André, Antoine faisait du chemin vers son père, mais un chemin oblique, tortueux. Pour l'instant, l'incompréhension et le soupçon l'emportaient en lui.

Quand lui venaient des idées noires, il prenait la canne à pêche qu'André lui avait taillée dans les roseaux noirs de l'aubarède du Lugan et allait à la rivière. Il s'y trouvait bien, en paix avec lui-même et les autres. Il s'installait dans un creux de la berge, près du carrelet des Bellard, à l'ombre des branchages inclinés gracieusement vers les eaux montantes, ou, prenant soin de ne pas glisser dans la vase traîtresse, se frayait un chemin jusqu'à la limite des plus hautes eaux. Au bord du fleuve, plus rien ni personne n'existait, que lui, l'eau et le ciel. Et ces mondes inconnus, au-delà de l'estuaire. « Un jour, je partirai, se répétait-il, j'irai voir par moi-même ce qu'il y a là-bas. » Durant de longues minutes, il contemplait le fleuve, prenant le temps de se laisser imprégner par sa magie.

Quand la brise odorante et salée du montant s'installait sur le fleuve le temps d'une marée, un grand frisson parcourait son corps. Il sortait sa canne, jetait la ligne le plus loin possible en amont, à la manière d'André, et concentrait toute son attention d'enfant sur l'ondulation régulière de son flotteur rouge à la surface des eaux. Chaque fois que des bulles venaient éclater autour du bouchon, il s'excitait à l'idée d'une grosse prise. Après chaque coulée, il ramenait la ligne d'un lent mouvement de l'avant-bras, vérifiait son appât et relançait d'un geste équilibré sa ligne au plus loin. Doucement, naturellement, Antoine devenait un enfant de l'estuaire, enfant de la terre et de l'eau, les pieds dans les graves du fleuve et la tête dans les embruns.

Il venait ici depuis deux étés, dès qu'André avait faucardé les herbes hautes de la berge. En pleine canicule d'août, le poisson boudait. Depuis le matin, il n'avait pris que deux gâts* qui s'agitaient dans la bourriche à demi noyée à ses pieds. Tant pis, le spectacle des poissons guettant leur proie lui suffisait. Une comparaison s'imposa à son esprit : « Dans la rivière, c'est comme chez les hommes ; il y a d'un côté les mangeurs et de l'autre les mangés, sauf qu'un jour viendra sur terre, comme le dit Caps, où l'on reverra les rôles et tel sera frit qui croyait frire ! »

Dans le bidon en fer-blanc qui lui servait de banc, Antoine avait mis son casse-croûte. Sur une tranche de gros pain rassis dont elle avait frotté la croûte avec une gousse d'ail, Louise avait tartiné de la graisse d'oie, celle qu'on lui donnait chaque année au « château », parsemée de gros sel. Antoine déplia délicatement le linge qui l'enveloppait et cassa deux noix dont il répartit le fruit sur la tartine. De sa main libre, il attrapa dans le bidon une belle grappe de raisins blancs. Il croqua d'abord dans sa tartine et enfourna aussitôt deux ou trois raisins dans sa bouche. Il n'aimait rien tant que ce mélange de salé et de sucré, simple et raffiné à la fois. Au cas où il aurait eu un petit creux dans l'après-midi, sa mère avait glissé une pomme d'août, juteuse et acide, dans la poche de ses culottes courtes.

Pour les poissons, il s'était aménagé un petit seau de toile goudronnée dans lequel il avait entassé sa préparation de blé cuit, supposée attirer toutes les proies.

Il venait moins ici pour l'exploit que parce qu'il avait besoin de calme, et que la rivière le lui offrait. Quand il arrivait que sa bourriche fût pleine, il s'empressait d'en porter une partie à Caps, qui adorait les poissons de Garonne. Louise, n'étant pas une fille du fleuve, répugnait à les nettoyer, à les vider. Elle prenait le strict minimum pour nourrir la famille mais n'acceptait pas de faire d'effort au-delà de ce nécessaire.

De l'été 1841 à l'hiver 1842, Antoine passa toujours plus de temps au bord du fleuve. Mais ses rêveries l'emportaient au-delà de l'estuaire, sur les grands voiliers qu'il avait vus représentés dans les livres de Caps. L'estuaire lui avait donné le goût du grand large.

Le mardi de septembre où André accepta de le descendre, sur son courau, jusqu'au port de la Lune, fut le plus beau jour de sa vie. Les parents Graveille vendangeaient à la Raze, André savait à quel point son ami désirait participer à cette expédition ; ils s'échappèrent pour l'après-midi.

Antoine, voyant pour la première fois les grands voiliers qui peuplaient depuis longtemps son imagination, avançait comme dans un rêve. Il y en avait des centaines, somptueux vaisseaux à deux ou trois ponts, bâtis pour franchir le cap Horn, vaisseaux de ligne ou de commerce, clippers et goélettes aux formes élégantes ; puis une foule de caboteurs, de barques, de gabarres de toutes les formes et de toutes les tailles. Les coques des plus grands navires s'élevaient sur l'eau à la verticale, formant des parois sous lesquelles la petite embarcation se glissait adroitement. Autour de ces grandes masses immobiles, tendues vers le ciel, régnait une intense activité. Sur le quai de la Bourse, descendant en pente douce vers la Garonne, des charretiers roulaient leurs barriques de vin jusqu'aux gabarres attendant d'être chargées jusqu'à la lisse pour aller remplir les voiliers au ventre encore vide. D'autres gabarres, en grappes serrées, se pressaient au flanc de bâtiments glorieusement fatigués par des mois de mer, recevant des poissons plats et larges qui, une fois pesés sur des balances, s'empilaient sur les embarcations. L'enfant, qui n'avait jamais vu même de tels poissons, buvait des yeux ce spectacle nouveau.

– Tu as de la chance, Antoine, lui dit André, qui appuyait régulièrement sur ses avirons pour maintenir le courau immobile dans le courant, les trois-mâts que tu vois là-bas, ce sont les premiers terre-neuvas qui reviennent de campagne. Ils sont restés neuf mois à pêcher la morue dans le Grand Nord. Jusqu'au mois d'octobre, il va en arriver tous les jours. Bientôt, si tu reviens ici, tu pourras passer à pied sec du quai de la Bourse à celui de la Bastide, de l'autre côté du fleuve, en sautant d'un pont à l'autre !

– Ces grands poissons plats, c'est des morues ? demanda Antoine,

– Oui, mais quand on les pêche, elles ne sont pas comme ça ! répondit André en éclatant de rire. Il a fallu un sacré boulot avant qu'elles prennent cette forme, un boulot de dingue. Dieu me protège d'être envoyé un jour à la grande pêche !

« Terre-neuvas », « Grand Nord », « morues »... Autant de mots qui laissaient Antoine rêveur. André pouvait se tromper après tout. Que savait-il de ce métier, lui qui n'était jamais allé plus loin que le port de la Lune ? Qu'avait-on pu lui raconter sur la vie à bord de ces voiliers ? Antoine était déçu que son ami, mieux renseigné ou plus timoré, ne partageât pas sa passion pour le grand large, et sa jeune vocation. Pour la première fois, il ne le crut pas aveuglément. Le métier qu'il venait de découvrir coïncidait exactement avec ses rêves. Mais André poursuivait :

– Tu vois la gabarre qui est collée à l'*Arbonnaise*, le trois-mâts qu'on vide de ses morues, eh bien, elle est béglaise ! Je crois bien que c'est celle de M. Varet, l'Auvergnat qui vient d'acheter ce grand terrain au « petit port » pour sécher la morue de Terre-Neuve. Mon père, qui le connaît, m'a dit qu'il quittait la rue de la Rousselle pour venir s'installer chez nous, à Bègles. Il paraît qu'il veut faire ça en grand parce que le marché est bon ; mon père dit que c'est bien, parce que ça va nous amener du travail.

André attendit que la marée tourne pour revenir sur Bègles avec le courant. Avant que le soleil ne vienne se coucher sur les rives de Tartifume, il avait amarré son courau au ponton paternel. Il était un peu plus de sept heures du soir. Sans le savoir, il venait de faire un marin.

Après cette journée mémorable, Antoine n'eut de cesse de revenir vers ces voiliers qui occupaient toutes ses pensées. Sitôt qu'il avait accompli ses travaux domestiques, quand il était sûr de bien savoir les leçons que Caps lui avait demandé d'apprendre, il longeait la Garonne d'un pas pressé en direction de Bordeaux. Il aimait regarder les allées et venues sur les quais, les marins en bottes de cuir, l'air exténué, retrouvant leur famille en liesse ; il aimait regarder les terre-neuvas livrer leur marchandise salée, voir les montagnes de morues monter de la cale, les plateaux des énormes balances posées sur les gabarres venir à l'équilibre sous l'œil vigilant d'un officier ; il aimait caresser les chevaux immobiles dans leurs brancards en attendant que la charrette soit vidée de son chargement de barriques. Un jour, un matelot s'arrêta près de lui et lui tendit un biscuit.

– Comment t'appelles-tu ?

– Antoine, répondit le gosse.

– Tiens mon gars, prends ce biscuit, reprit le marin qui sentait fort la morue, celui-là c'est du bon, il a fait le voyage de Terre-Neuve. Tu verras, c'est meilleur que du frais !

Antoine crut sincèrement n'avoir jamais rien mangé d'aussi bon de sa vie.

Il s'introduisait à force de ruse dans les cafés du port où les marins, assis sur les banquettes de moleskine, cassaient la croûte dans un âcre parfum de tabac, d'alcool et de marée. Il guettait le bruit de la sirène annonçant l'arrivée d'un voilier qui, dans un grand fracas de chaînes, laissait plonger son mouillage dans le fleuve, comme on laisse tomber son sac après un long voyage, avant de s'immobiliser pour plusieurs semaines. D'où venait-il ? Des Amériques ? D'Afrique ? Avait-il traversé des tempêtes ? Antoine en oubliait la réalité : il s'attarda un soir jusqu'après le coucher du soleil. Avec la nuit, les navires allumèrent un à un leurs becs à acétylène comme autant d'étoiles. Au rêve était venu s'ajouter le mystère.

« Je serai marin », se disait Antoine, avec plus de force que jamais, en reprenant le chemin de Bègles à toutes jambes.

À la maison, il trouvait sa mère bouleversée :

– Tu m'as fait faire un sang d'encre, chenapan, je te croyais noyé dans la Garonne... C'est encore le fils Bellard qui t'a entraîné... Si ça continue, y aura plus d'André ni personne, mais le travail. D'ailleurs, tu es en âge, maintenant.

Elle disait cela sous le coup de la colère. En réalité, elle n'avait aucune envie de le voir travailler aussi jeune. Elle le savait intelligent et curieux.

Aussi longtemps que les maigres moyens de la famille le permettraient, il irait chez M. Caps.

C'est à lui, plutôt qu'à André, qu'Antoine confia le secret de sa vocation après sa première visite au port de la Lune. Il voulait tout savoir sur les terre-neuvas, tout savoir sur les mers froides, il voulait que son maître lui parlât de la navigation, des marins et des capitaines, des contrées lointaines et des légendes océanes. La passion de la mer s'était emparée de lui.

Bien que montagnard, Caps partageait cette attirance pour le grand large. Son aïeul, d'origine basque, le grand-père de sa mère, avait disparu dans les eaux glaciales de l'Islande.

– Ah ! tu les as vus, fit-il d'un air qui en disait long.

Il choisit dans sa bibliothèque un ouvrage qu'Antoine ne connaissait pas encore et lui en lu quelques passages. L'enfant, assis en tailleur près de la cuisinière à bois, écouta avec passion, exclusivement.

C'était le témoignage d'un capitaine de voilier. Il racontait les campagnes de pêche à la morue, à Terre-Neuve, en Islande et au Groenland. Il y était question d'époques reculées, de pêcheurs scandinaves, ou basques, partis du Cap-Breton ou de Saint-Jean-de-Luz bien avant Christophe Colomb, à la recherche des grands cétacés, et réapparaissant chargés de quantités prodigieuses de morues ; d'équipages entiers revenant d'horizons que l'on croyait peuplés de monstres marins ; d'expéditions jalousement gardées secrètes, de convoitises. Des émissaires pantelants s'y agenouillaient devant des rois disparus depuis longtemps, pour rapporter qu'ils avaient vu, de leurs propres yeux, des bancs de morues si denses qu'on pouvait à peine s'y frayer une route ; le roi d'Angleterre y envoyait des espions découvrir la route d'une terre nouvelle qu'on appelait tantôt « Isle de Bacallos », tantôt Terre-Neuve ; une gigantesque industrie, qui concernait l'Europe entière, se montait en quelques dizaines d'années.

Antoine découvrait le nom de ces instruments que les hommes avaient jadis inventés pour se lancer à l'aventure sur la mer dangereuse, pour se diriger vers les parages fameux avec plus de promptitude, la « marinette », la boussole, le quadrant qui avait remplacé l'astrolabe, l'arbalète marine, dite aussi balestrille ou bâton de Jacob, avec laquelle ils obtenaient une latitude plus exacte. C'était aussi tout un vocabulaire d'initiés, les « atterrages », les « petits » et les « grands bancs », et une drôle de façon de dire « mourue » pour morue.

— L'histoire de ces pauvres bougres a l'air de te passionner, Antoine, commenta Caps en replaçant le livre dans les rayons de sa bibliothèque

— Oui, monsieur Caps. Mais pourquoi les traitez-vous de « pauvres bougres » ?

— Je ne connais pas de métier plus difficile et plus dangereux que celui de la Grande Pêche. La loi du travail sur les Bancs, c'est nuit et jour, et le plus possible ! Quand la morue donne, il faut pêcher et encore pêcher, jusqu'à l'épuisement. Non, je t'assure, c'est un métier de bagnard. Les marins de Terre-Neuve ne racontent-ils pas qu'un des leurs, qui avait été condamné au bagne, répondit au garde-chiourme qui le houspillait :

« Non mais, dis donc ! Est-ce que tu nous prends pour des terre-neuvas ? » Loin de moi l'idée de te dégoûter de la mer, Antoine, je crois que je l'aime autant que toi, mais il faut que tu saches qu'elle est cruelle avec les hommes.

Tout comme il était resté sourd aux remarques d'André quelques jours plus tôt, Antoine ne voulut pas entendre les avertissements de Caps. Sa passion était entière, irrévocable. Caps le comprit, qui lui proposa de revenir pour qu'ils reparlent de ces terres lointaines et de « cette satanée morue qui t'a déjà dévoré, comme elle ne fait qu'une bouchée des capelans et des encornets ». S'il ne comptait guère le dissuader, du moins pouvait-il l'armer, l'instruire, le préparer.

Antoine ne vécut plus que pour son projet. Il s'imaginait à tout instant naviguant entre le fleuve et Terre-Neuve. Le grand large régnait en maître sur ses pensées. C'est vers cette époque qu'il se mit à tenir un journal : il consignait d'une écriture encore maladroite ses escapades au port de la Lune et ses rêveries au bord du fleuve dans un petit carnet à couverture rouge que Caps lui avait donné pour l'inciter à fixer ses impressions. Chaque soir, à son coucher, il glissait ce bien précieux sous son oreiller afin que personne ne vînt s'introduire par effraction dans son monde intime.

Rue de la Rousselle, mercredi des Cendres 1841

Avec mes sœurs et maman, papa n'a pas voulu venir, nous sommes allés à l'église Saint-Pierre pour le jour des Cendres. L'abbé Moustey nous a fait une croix sur le front avec de la poussière. Il m'en a fait tomber plein sur le nez, ça me chatouillait. J'ai attendu d'être revenu à ma place pour m'essuyer avec mon mouchoir. Maman va me gronder de l'avoir sali.

J'ai décidé d'aller rue de la Rousselle, à Bordeaux, pour voir la maison de commerce de M. Varet, celui qui est en train de construire une sécherie de morues au Petit-Port. Le père d'André le connaît bien. Devant chez lui, au numéro quinze, sept à huit matelots, couchés par terre, ronflaient aussi fort que mon père. Je crois qu'ils avaient beaucoup bu, parce que ça sentait très fort le vin. Un gros rat a frôlé mes sabots. De peur, j'ai sauté dans une flaque et j'ai réveillé un des bonshommes. Avec sa grosse voix qui résonnait entre les murs de la ruelle, il m'a fait encore plus peur que le rat !

Jamais de ma vie je n'avais vu autant de gens. Par André, je savais qu'en ville ce n'était pas comme chez nous, à Bègles, mais tout de même ! Entre les portefaix qui criaient pour se frayer un passage, les charrettes à mulet prêtes à écraser les passants, les ouvriers qui roulaient des barriques, les chiens qui aboyaient, la tête me tournait. J'ai dû m'asseoir sur une borne. J'avais peur mais, en même temps, je voulais tout voir, tout entendre. Je venais à peine de m'installer quand j'ai entendu d'un balcon en dessus de ma tête :

– Attention, mon drôle, il pleut !

C'était une fille qui vidait un pot de chambre dans la rue. Si je n'avais pas bondi en avant, toute cette saloperie me serait tombée dessus. Un matelot qui, lui, a été éclaboussé, s'est mis à crier des injures que je n'ai pas bien comprises...

Chapitre 6

Antoine a descendu les marches qui mènent à la boutique de Varet. Penché sur son comptoir à peine éclairé par la lumière tombée des soupiraux, celui-ci ne l'a pas aperçu.

En se glissant dans la pénombre de la salle voûtée, aux pierres nues et grises, couvertes de poussière, Antoine fut saisi par les odeurs puissantes et mélangées du lieu. Le doux parfum du sucre, provenant des sacs entassés les uns sur les autres, marqués de Saint-Domingue, ne parvenait pas à s'imposer aux âcres relents des morues salées, coincées entre les barriques de harengs et les fûts de goudron. Il fallait toute la puissance du rhum venu des Antilles et le piquant de l'eau-de-vie des vergers agenais pour établir cet équilibre exotique, propre à toutes les boutiques de la rue de la Rousselle. L'entrepôt était tout en longueur, comme un chai. Antoine s'assit sur un rouleau de corde de chanvre et fouilla avidement des

yeux cette caverne aux trésors. Le parfum mystérieux lui montait à la tête, l'enivrait comme un vin
fort. Son regard finit par se brouiller. La silhouette
du commis, penché sur ses écritures à quelques
mètres, devenait floue. Il le voyait bien se lever et se
rasseoir mais il ne parvenait plus à distinguer à quoi
l'autre était occupé. Il ferma les yeux. Saoulé
d'odeurs, il s'endormit.

– Alors, mon ami, on prend ses quartiers à la
Rousselle ? Qu'est-ce que tu fais là ? D'où tu viens ?

On le secouait vigoureusement. Il ouvrit des yeux
effarés pour apercevoir à quelques centimètres de sa
figure un visage vérolé, une expression sévère.

– Je viens de Bègles, monsieur, fit-il en tremblant. S'il vous plaît, ne me faites rien, ne le dites
pas à mes parents. Ils ne savent pas où je suis.

Jacques, le commis, lui serrait le bras comme
dans un étau. Antoine fit un écart pour se libérer,
mais l'autre tenait bon.

– Des gamins comme toi, j'en ai vu des dizaines,
ici, qui venaient pour chaparder. Montre-moi tes
poches.

Antoine s'exécuta sur-le-champ. Il n'y avait rien
d'autre que sa pimbe* et son petit carnet rouge, qu'il
pressa aussitôt des deux mains contre son cœur.

– À Bègles, monsieur, lança-t-il fièrement, en
fusillant le commis du regard, il n'y a pas de gens
malhonnêtes.

Il n'avait pas fini sa phrase que le commis abattit sa main géante sur la poitrine d'Antoine pour lui arracher le petit carnet rouge.

— Alors, comme ça, dans la campagne de Bègles, on sait écrire, à ton âge, et on a déjà ses petits secrets !... Voyons ce qu'il y a là-dedans.

Se saisir du carnet malgré les efforts d'Antoine, agrippé à ses secrets, l'envoyer bouler d'une poussée brève contre un grand coffre noir fermé de robustes cadenas, ouvrir le carnet en se plaçant dans le rai de lumière du soupirail, ce fut l'affaire d'un instant.

Le commis lut au hasard. Assis contre son coffre, Antoine pleurait toutes les larmes de son corps.

— Monsieur veut être marin, fit-il sans le regarder, monsieur aime la Garonne...

Il tourna encore quelques pages.

— Tu veux être terre-neuvas ?

Il s'approcha d'Antoine et l'aida à se relever. Entre deux hoquets, l'enfant bredouilla :

— Oui, monsieur.

— Mais tu es fou, mon pauvre drôle, ce n'est pas un métier. Tu ferais mieux de choisir tout de suite le bagne ! fit Jacques en levant les bras au ciel.

Le visage d'Antoine se referma.

— Si tu tiens vraiment à être marin, c'est pas là-bas, dans l'enfer des mers froides, qu'il faut aller, poursuivit le commis, mais du côté des îles à sucre, des Indes, de Madras ou de Cipango...

Il tendit le bras vers son patron :

– Tu vois ces matelots qui discutent avec M. Varet, le patron, eh bien dans trois heures, à la prochaine marée, ils seront à bord de la *Flore* pour mettre le cap sur l'océan Indien. Ils vont partir pour longtemps, mais ils seront plus heureux qu'au milieu des morues !

Il rendit son carnet à Antoine qui s'empressa de le faire disparaître dans sa poche.

– Mais qui a bien pu te mettre dans la tête de devenir terre-neuvas ?

– Moi tout seul, monsieur. Et aussi M. Caps, avec ses histoires et ses livres, fit timidement Antoine.

– Qui c'est, ce type ?

– Ce n'est pas un type. C'est celui qui m'a appris à lire et à écrire.

– On apprend de tous, mon garçon. Personne ne détient la vérité. Si ce... comment ?

– Caps, monsieur.

– Oui, Caps, c'est ça !... Si ce Caps t'a fait aimer les mers froides, moi, je peux te donner le goût des mers chaudes.

Jacques tenait enfin le client qu'il attendait. Un « client » qui ne venait que pour acheter du rêve, la seule denrée qu'il aurait aimé vendre s'il était né sous une meilleure étoile. À Bacalan, son quartier, on arrivait au monde non pour rêver mais pour travailler. Il fallait d'abord survivre. Il avait donc appris à lire très tard, à force de volonté et de patience. Ajoutées à sa vie passée dans le port, ses lectures avaient suscité en lui une vraie passion, une manie de collectionneur, pour les aventures de ces hommes de la mer qu'il croisait tous les jours, et qu'une santé fragile l'avait empêché d'imiter.

— Tiens, par exemple, connais-tu Jacques Perroud, notre grand corsaire bordelais ? fit-il en bombant le torse, comme s'il était de la famille.

— Non, monsieur, répondit Antoine, intéressé et un peu rassuré.

— Si tu étais né trente ans plus tôt ! Tu aurais pu le croiser, ici même, rue de la Rousselle. Il venait souvent. Moi, Jacques Villetorte, moi qui te parle, j'ai eu l'honneur de le servir ! De la corde de chanvre, il voulait. J'avais ton âge. Je travaillais chez M. Guestier, qui avait accepté de me prendre parce que mon père était mort en mer, sur l'un de ses bateaux... Perroud, c'était un grand monsieur, tu vois, un seigneur de la mer, qui damait le pion à ces putains d'Anglais. C'est pas pour rien que Napoléon lui a remis la Légion d'honneur !...

« Pourquoi M. Caps ne m'en a-t-il jamais parlé, s'il est aussi célèbre que le commis le dit ? » se demanda Antoine. Il aurait bien voulu en savoir plus sur l'aventurier. Mais le temps avait passé depuis qu'il était entré chez Varet, il fallait revenir à Bègles. Il savait qu'il prenait le risque de plonger sa mère dans l'inquiétude en se mettant ainsi en retard. Pourtant, l'envie d'en savoir plus, tout de suite, fut la plus forte. Antoine était d'un naturel impatient. Tant pis, il décida d'écouter Villetorte.

– Jacques Perroud, le Bordelais comme on l'appelait sur les mers, était né, attends voir... c'était avant la grande Révolution, puisqu'il était déjà capitaine, quoique tout jeune, quand elle a eu lieu. Il a été baptisé par le curé de Saint-Seurin, l'abbé Paul. Son père était un perruquier, tu vois le bourgeois ! Mais pas riche ! Il s'est saigné pour l'envoyer à l'école. D'abord une école des frères de saint Jean-Baptiste de La Salle. Il n'y avait que des pauvres. Mais il était doué ! Une lumière. Alors au bout de six mois, le curé de Saint-Seurin vient trouver ses parents ; il leur dit : « Ce petit promet. Confiez-le-moi, j'en ferai un bon enfant de chœur, je lui montrerai un peu de latin. » À mon avis, le vieux curé voulait en faire un prêtre ! Toujours est-il que Jacques devient le parfait enfant de chœur, récitant son latin sur le bout du doigt. L'abbé Paul, tu vois, c'était lui aussi un esprit curieux, un savant, une intelligence. Philosophie, mathématiques, astronomie, tout ça, quoi. Il lui apprend l'algèbre, la géométrie, il lui explique toutes les nouveautés : les théories de Newton, l'encyclopédiste d'Alembert. Ça, il lui en parle en secret, parce que les encyclopédistes, c'étaient les ennemis des curés, il aurait eu des ennuis avec son évêque. Donc, grâce à lui, il devient un puits de science. Mais sa vraie passion, sa vocation, c'est le fleuve... Comme toi ! Chaque soir que le bon Dieu fait, il va sur les quais, il rêve. Alors un jour, il a treize ans et, au grand désespoir de l'abbé Paul et de sa mère, il s'est enrôlé comme mousse pour Saint-Domingue. Et là, coup de chance. Son armateur, qui n'est pas bête, le remarque ; entre chacun de ses embarquements, il lui fait suivre des cours de mathématiques, d'astronomie et de mécanique. Son capitaine, Sanguinet, un ancien de la Royale, pareil, il lui montre tout : comment on tient ses hommes et son navire, le calcul de la longitude. À vingt et un ans, il est prêt pour l'examen de capitaine au long cours. Il ne lui manquait que le nombre de mois à la mer requis par l'amirauté de Guyenne... Mais ça, c'est une autre histoire, un autre jour !

Il le poussa dehors :

– Sauve-toi, ta mère va t'attendre.

Antoine court sur le chemin de Bègles, des images plein la tête. Voilà comment il faut s'y prendre ! Comme Jacques Perroud, il prendra la mer au plus tôt, comme lui, il sera un grand capitaine... de terre-neuvas ! Les mers chaudes, décidément, ça ne lui dit rien.

C'est ainsi qu'Antoine, maintes fois, croisa au large des Indes sous les voiles de Jacques Perroud que gonflaient les récits de Villetorte et approcha les icebergs d'Islande dans les livres de Caps. Avant même que ses sabots ne pussent toucher le pont d'un navire, il avait parcouru tous les océans.

Chapitre 7

À Bègles, son port d'attache, la vie se chargeait de ramener Antoine sur la terre ferme. Avec l'obstination des plantes qui s'agrippent aux roches nues, elle s'acharna à lui démontrer, preuves à l'appui, qu'un enfant de sa condition ne peut espérer vivre de ses rêves que s'il franchit le cap des servitudes et des épreuves.

La première tempête survint quand André embarqua comme novice sur le *Louise-Emmanuel* pour sa première campagne de pêche à la morue. Pour Antoine, ce fut une catastrophe. Une partie de lui-même s'en allait.

Il apprit la nouvelle de la bouche même d'André, par une matinée paisible, alors qu'ils étaient sur la Garonne en train de pêcher la lamproie. Ils venaient de jeter leur filet au droit de l'île d'Arcins et le laissaient dériver avec le montant. André attendit d'arriver en face de Cadaujac.

– Antoine, fit-il en commençant à remonter le filet, il faut que je te dise quelque chose qui ne va pas te faire plaisir.

Sa voix n'avait pas la même profondeur ni la même autorité qu'à l'habitude. Il se doutait du trouble qu'il allait provoquer chez Antoine, en lui annonçant son départ pour Terre-Neuve. Il n'ignorait pas que cet enfant, dans son cœur, le considérait comme son grand frère. Il le savait déjà aussi mûr qu'un adulte, mais si vulnérable dans ses sentiments qu'il pouvait réagir avec excès.

Quand apparurent les premières lamproies, s'agitant comme des serpents marins dans les filets, il se décida :

– Mon père est allé voir Varet, le sécheur de morues qui vient de s'installer au Petit-Port. Il m'engage comme novice sur l'un de ses terre-neuvas. Je dois embarquer le 5 avril prochain. Tout est déjà réglé. Mon père dit que la Garonne ne suffit plus à nous faire vivre. Il ne m'a pas demandé mon avis.

Pour éviter de croiser le regard d'Antoine, il s'occupait du filet qu'il tira de toutes ses forces en attendant une réaction de l'enfant.

Antoine ne dit pas un mot. De grosses larmes se mirent à couler silencieusement sur ses joues. Serrant les dents pour étouffer ses sanglots, il faisait toujours mine de s'intéresser aux lamproies, mais il les entassait dans des caisses en bois, au lieu de les mettre dans le seau, comme André le lui avait appris.

Devinant l'immensité de ce désarroi, André lui saisit le bras et reprit la parole :

– Antoine, je t'assure que je ne suis pour rien dans cette décision, elle me fait autant de peine qu'à toi. C'est comme si on m'envoyait aux galères. Tu sais bien que mon monde, à moi, c'est la Garonne, c'est notre Bègles. Je n'ai rien voulu de tout ça.

Antoine ne desserra pas les dents jusqu'à leur retour. Au ponton des Bellard les attendait le père d'André.

– T'en fais une drôle de tête, Graveille, lança-t-il à Antoine avec sa finesse coutumière, pourtant la pêche a été bonne !

– Laisse-le tranquille, coupa aussitôt André, il a assez de soucis comme ça.

– D'accord, mais ça ne t'empêche pas de lui donner quelques lamproies que sa mère cuisinera. Il les a bien méritées, reprit Bellard qui, au fond, était un brave homme.

– Vos lamproies, vous pouvez vous les garder, répliqua sèchement Antoine. Je ne veux rien recevoir de vous.

Antoine s'enfuit en courant sur le chemin de halage, plantant là le père Bellard éberlué.

12 mars 1843

Quand André m'a appris la nouvelle ce matin sur la Garonne, j'ai cru recevoir un coup de poignard. C'est mon seul ami qui s'en va. Il n'y a pas de justice. Pourquoi envoyer André à Terre-Neuve alors qu'il n'est bien que sur sa Garonne ? Son père ne l'aime pas, alors il l'envoie le plus loin possible. Qu'est-ce que je vais faire ici sans lui ?

À mesure qu'il écrivait, une idée fit son chemin dans sa tête, une solution simple qui arrangerait tout. Sa mère n'accepterait jamais de le laisser partir si jeune pour Terre-Neuve, et puis elle avait trop besoin de lui à la maison. Caps s'y opposerait dès qu'il saurait la nouvelle, il estimait avoir encore beaucoup de choses à lui enseigner... Il s'embarquerait donc clandestinement sur le *Louise-Emmanuel*... Louise, comme sa mère. C'était un clin d'œil du destin.

Pour préparer son affaire, il revint rôder sur le port tous les jours, se mêlant aux enfants des quais, livrés à eux-mêmes et décidés à tenter leur chance sur les terre-neuvas. Tout plutôt que leur misère quotidienne. Avec eux, il repéra les mouillages des navires où il paraissait plus facile de s'introduire en cachette. Ses connaissances, puisées dans ses lectures interminables, firent d'Antoine un précieux auxiliaire : il savait le nom des moindres pièces du gréement et de la membrure, il connaissait l'organisation intérieure des bâtiments. Le *Louise-Emmanuel*, son objectif, offrait un point faible : par les larges claires-voies de l'avant, il pourrait s'introduire dans les soutes à vivres.

Durant cette période, il se garda bien de rendre visite à Villetorte et fit tout pour éviter André. Il ne fallait pas éveiller les soupçons. Chez lui, il se rendait disponible pour sa mère, il exécutait ses ordres sans rechigner et faisait preuve de gentillesse envers ses petits frères et sœurs.

Le soir du 29 mars, il arracha soigneusement une page de son petit carnet :

Je sais que je vais te faire beaucoup de peine, ma petite mère, quand tu apprendras que je suis parti sur le Louise-Emmanuel *pour être mousse avec André. Lorsque l'équipage me trouvera, nous serons en haute mer. Ils ne pourront pas me jeter par-dessus bord ! Si je t'avais demandé à partir, tu me l'aurais interdit. Ça a été plus fort que moi, maman chérie, il fallait que je parte. Dès que je le pourrai, je t'enverrai de mes nouvelles. Fais une grosse bise de ma part à tous mes petits frères et sœurs. Ton Toinou.*

Il déposa bien en vue ce message, plié dans son mouchoir, sur le meuble de la cuisine, le 3 avril, jour qu'avaient fixé les enfants des quais, en conseil de guerre solennel, pour leur embarquement.

À quarante-huit heures de l'appareillage des terre-neuvas, ils se séparèrent en petits groupes de cinq ou six sur le pavé des bassins à flot, à l'affût de la première occasion pour s'introduire sur les navires. Il fallait déjouer à la fois la surveillance des gendarmes de la marine et des officiers de quart. Cela ne demandait qu'un peu d'astuce : les premiers montaient une garde toute symbolique et les seconds, absorbés par les préparatifs du départ, ne pouvaient avoir l'œil à tout. Ces petits rats à deux pattes se faufilèrent sans difficulté à bord, sous prétexte d'adieux à un membre d'équipage, ou de sac à porter pour l'un ou l'autre.

C'est ainsi qu'Antoine atteignit sans encombre la soute du *Louise-Emmanuel.* Il se ménagea une cache au milieu des approvisionnements, fournis tout droit par la rue de la Rousselle. De son poste, il pouvait entendre les voix qui venaient du pont et du carré des officiers. Il chercha à distinguer celle d'André, qui aurait calmé son angoisse ; il ne l'entendit pas. Était-il déjà à bord ? Son ami le cherchait-il pour lui dire au revoir ? Antoine fut soudain saisi par la crainte d'être retrouvé à cause de son ami. Mais, de toute façon, les dés étaient jetés. Il grignota l'un des biscuits que la bande s'était partagés après les avoir chapardés dans les boutiques des rues de la Rousselle et du Cerf-Volant.

Il ne s'avisa avoir cédé au sommeil que le lendemain matin, aux premières lueurs du jour : une main de fer le secouait sans ménagements.

— Alors, jeune homme, dit une grosse voix, tu croyais qu'on allait t'emmener à Terre-Neuve ? Tu voulais faire partie de ces bataillons de « trouvés » dont on ne sait pas quoi faire ? Allez, oust, fous-moi le camp d'ici !

Un coup de pied dans les fesses le propulsa vers l'échelle.

– Tu reviendras quand tu auras l'âge d'embarquer. Monte sur le pont, y'a quelqu'un qui t'attend.

Comme il le craignait, Antoine se retrouva face à face avec André et sa mère, livide, qui venait de passer la pire nuit de sa vie, courant les berges, affolée, à la recherche de son fils qu'elle croyait noyé dans la Garonne. Ce n'est qu'au petit matin, alors qu'elle s'apprêtait à alerter la maréchaussée, qu'elle avait trouvé le mouchoir sur le meuble de la cuisine.

Deux gifles partirent, puis elle éclata en sanglots. Il ne broncha pas. Dans un geste d'homme, il serra la main d'André avec un regard éloquent, et rejoignit sa mère qui s'empressa de quitter le bord.

Antoine ne fut pas le seul à être déniché. Des cinquante gamins qui avaient tenté l'aventure, une vingtaine restèrent à quai, comme lui, prêts à repartir à la prochaine campagne. Quant à ceux qui avaient échappé à la rafle, ils attendraient que les navires aient gagné la haute mer pour se montrer, sachant qu'alors on ne pourrait plus les débarquer, qu'aucun mal ne leur serait fait et que les marins ne les laisseraient pas mourir de faim. Ainsi parviendraient-ils, sans trop de souffrances, au pays de leurs rêves : Terre-Neuve. Un rêve encore inaccessible pour Antoine, mais qui ne le serait pas toujours. Après tout, Jacques Perroud lui-même n'avait embarqué qu'à treize ans.

Malgré l'interdiction de sa mère, Antoine revint rue de la Rousselle. Les récits de Villetorte, consacrés à leur commun héros, Jacques Perroud, embarqué à son âge comme mousse et commandant un navire à vingt-trois ans, nourrissaient en lui l'espoir de réussir à son tour. Il en avait besoin pour surmonter la grisaille du quotidien, devenu vide et triste depuis le départ d'André.

– C'était son quatrième voyage. À son arrivée, on était en République ! Entre-temps, le 21 janvier, on avait raccourci Louis XVI. C'était la guerre.

Jacques Villetorte, assis sur une barrique d'olives noires, certain de l'attention de son jeune ami, s'accorda une pause un peu théâtrale.

– Ce 3 juin 1793, Jacques Perroud est invité au bal du gouverneur de l'Isle de France. Il ne peut résister aux charmes d'une superbe créole, une créature magnifique. Antoinette, elle s'appelle. Il danse avec elle toute la nuit. Elle est l'épouse d'un colon du quartier des Pamplemousses. Elle est entourée d'admirateurs. Là-bas, il te faut savoir que les femmes n'ont pas peur de montrer leur peau. Son corsage est échancré profond, selon la mode de l'île. Tous les hommes louchent dessus. Il faut dire qu'elle n'en a pas la moitié de deux ! Du tonnerre ! Elle ouvre le bal avec un ambassadeur. Jacques comprend, en la regardant, le mot de son capitaine : « Rien n'est plus beau dans le monde comme frégate à la voile, cheval au galop ou femme qui danse. » Il se fait présenter, exige qu'elle lui réserve telle et telle danse, et telle autre encore. C'est comme ça, dans ce monde-là, il faut réserver. Elle n'a pas l'air de le prendre mal. Ils dansent et redansent. Lui, galant, chevaleresque, il ne veut pas lui causer d'ennuis, il lui demande si elle ne craint pas de se compromettre. « Quelle importance ? elle répond, dans une petite colonie comme la nôtre, qui compte plus de libertins que de laboureurs, jaser est une institution. » Elle parle comme ça, tu comprends, elle a de l'éducation. « La médisance atteint ici le raffinement d'un art. Elle a déjà prononcé son jugement, fait-elle dans un grand éclat de rire, ici, il n'y a plus de femmes chastes ! » Elle l'attire vers elle : « Vous venez trop tard, monsieur, l'arrêt est rendu. Alors, dansons et laissons dire. »

« Il n'en faut pas plus pour que notre Jacques prenne de l'assurance ! Il l'enlace avec vigueur, fier cadet de Gascogne qu'il est. Derrière les éventails filtrent des regards inquisiteurs, les persiflages vont bon train. Il lui presse la taille, elle frissonne, elle s'abandonne. Il est deux heures du matin. C'est la fin du bal. Pas gênée, elle fait un brin de conduite à son beau cavalier. Les nuits sont tièdes là-bas, ils marchent lentement le long du rivage, serrés l'un contre l'autre. Clair de lune, fanaux des navires se balançant mollement au milieu de la rade, tout y est. Splendide ! Il veut l'attirer vers lui pour lui voler un baiser, mais pas question, elle le repousse et éclate en sanglots. Là, il ne comprend plus. Mais elle lève vers lui ses yeux tout pleins de larmes. Jacques, ému comme un enfant, s'en veut aussitôt des pensées qui lui sont venues. Mais voilà qu'elle noue ses bras autour de son cou en se haussant sur la pointe des pieds... C'est ainsi, mon garçon, que débute la première escale de Jacques Perroud, le corsaire bordelais, dans l'océan Indien.

Antoine en voulait encore et encore, des histoires sur son héros. Dans sa « malle à histoires », comme il aimait à le dire, Villetorte tenait encore précieusement à l'abri de nombreux contes sur le Bordelais. Mais Antoine devait rentrer à Bègles.

Comme il allait quitter l'entrepôt, il vit arriver vers lui le père Varet, son livre de comptes à la main.

— Dis-moi, jeune homme, c'est bien toi que le capitaine Lâchant a retrouvé dans la soute du *Louise-Emmanuel*, au moment d'appareiller pour la grande pêche ? s'enquit sur un ton sévère le commerçant, mal fagoté dans un costume de velours marron trop large.

— Oui... oui, monsieur, bredouilla Antoine, figé par la surprise de s'être vu adresser la parole par ce « patron », et d'en être connu qui plus est. Je... je veux être terre-neuvas.

— Je le sais, coupa net Varet. Ta mère me l'a dit.

— Vous connaissez ma mère ? reprit Antoine, interloqué.

— Oui. Elle est venue me voir avec Bellard. Elle veut que je te fasse travailler à la sécherie que je viens d'installer au Petit-Port, à Bègles. Avant d'aller la pêcher, tu vas apprendre à connaître la morue !

Ta mère a raison, tu es encore trop jeune pour faire le mousse. À Terre-Neuve, il faut des gars solides. Quel âge as-tu, exactement ?

— Onze ans, monsieur, répondit Antoine en bombant le torse.

— Quand tu auras trois ans de sécherie derrière toi, tu pourras songer à embarquer... Allez, file maintenant, et dis à ta mère que je suis d'accord. Tu embaucheras lundi.

La mort dans l'âme, Antoine reprit le chemin de Bègles, convaincu qu'il devait cette nouvelle épreuve au père Bellard. « C'est lui qui a monté le coup à ma mère, j'en suis sûr. Il a voulu me donner une leçon. Ce fourbe se trompe, le travail ne me fait pas peur. »

Chapitre 8

Un grand voile laiteux s'étendait sur la Garonne, le brouillard de ce petit matin d'hiver enveloppait le fleuve et ses rives.

Au-dessus de la tête d'Antoine, le soleil tentait une percée. Un de ses rayons s'était posé sur le bateau d'André, immobile et vide, à l'abandon depuis le départ de son propriétaire pour la grande pêche. Antoine s'attarda à contempler pensivement la *Sixtine*, surgie du brouillard comme un fantôme. C'est sur cette embarcation qu'avait grandi son amour de la Garonne, en même temps que son amitié pour André, et les scènes heureuses repassèrent fugitivement devant ses yeux.

En s'engageant sur le chemin du Petit-Port, au côté de sa mère, il savait qu'il était à un tournant de sa vie. Le travail, ça n'était rien, mais il appréhendait la rencontre avec un nouvel univers dont il allait devoir apprendre les règles. S'en accommoderait-il ? En accepterait-il la discipline ? En tout cas, il ne prendrait pas son père en exemple. Il entrait dans un monde où mieux vaut se soumettre que s'opposer, « un monde soumis à la loi du plus fort : le patron, puisque c'est lui qui paie », comme le répétait souvent Abel en rageant.

Ils arrivaient à la hauteur de la sécherie. L'air était chargé d'une odeur si âcre qu'elle semblait devoir traverser les vêtements. Le spectacle qui s'offrit à eux n'était pas moins étonnant : dans un immense pré, sur des rangées de fils, pendaient des milliers de morues mises là à sécher. Antoine reconnut quelques journaliers agricoles et des vignerons béglais qui s'affairaient autour des « pendilles ». L'un d'entre eux lâcha méchamment, à voix bien haute, pour que Louise l'entende :

– Tiens, la Graveille fait travailler son aîné, c'est que l'Abel doit tout lui boire. Pauvre femme...

– Et pauvre drôle, tu veux dire, reprit un autre en regardant l'enfant et sa mère s'avancer vers la grande bâtisse de bois, toute neuve, sur laquelle on lisait en gros caractères : « Entreprise Varet, morues vertes séchées ».

Une intense activité y régnait déjà à cette heure matinale. Un costaud d'une quarantaine d'années, coiffé d'un large béret basque posé sur la tête comme une crêpe, donnait ses ordres d'une voix forte aux ouvriers qui maniaient la morue. Son visage anguleux, aux traits saillants, éclairé par de grands yeux bleus, n'était pas sans beauté.

Begnat Salaberry, contremaître des sécheries Varet, était issu d'une vieille famille basque de grands marins biarrots et de capitaines de pêche à la morue. L'un de ses ancêtres avait appareillé parmi les tout premiers pour la pêche à la baleine, avec quelques compagnons pour cette folle aventure.

Salaberry avait navigué dès son plus jeune âge, à Terre-Neuve, en Islande et au Groenland, sur des bateaux armés par sa famille. Mais à une vie toute tracée, il avait préféré l'amour d'une jeune Esquimaude. Il avait tout abandonné pour elle, et avait partagé durant cinq années la vie de sa tribu, bien au-delà du cercle polaire. Une épidémie de typhus, qui tua sa compagne et décima en quelques mois les trois quarts de son peuple, avait contraint le marin à repartir. Revenu dans un pays qui n'était plus le sien, il fit appel à son cousin Legasse, gros négociant en morue à Bordeaux, qui lui avait trouvé cette place chez Varet. Mais toujours l'arrivée des voiliers de Terre-Neuve lui donnait la nostalgie de ce monde qui ignorait la haine, et où l'on n'avait d'autre souci que de subvenir à ses besoins. Il essayait pourtant d'accomplir honorablement sa tâche.

Louise s'avança vers lui d'un pas décidé :

– Monsieur Salaberry ? Je vous présente, Antoine, mon fils. Il est prêt.

Avant de s'intéresser à sa nouvelle recrue, il ôta son béret et serra chaleureusement la main de Louise. Ses épais cheveux noirs, libérés, le rendaient plus séduisant.

– Le travail ne lui fait pas peur ?

Mais, après avoir jaugé Antoine d'un coup d'œil, il se ravisa :

– Cet enfant me paraît bien jeune pour travailler.

– Je ne suis plus un enfant, monsieur, répliqua aussitôt Antoine, j'ai onze ans. Beaucoup de garçons de mon âge travaillent déjà.

– Ce n'est pas une raison, reprit Salaberry en regardant Louise.

– Nous ne pouvons faire autrement, expliqua-t-elle, tête baissée, les yeux fixés sur ses sabots.

Elle passa la main dans les cheveux d'Antoine mais n'osa pas le serrer contre elle, parce qu'il fallait être digne devant un patron. Jamais comme en cet instant, elle n'avait ressenti avec autant de force l'amour qu'elle éprouvait pour son fils aîné. L'idée de le laisser là, seul, au milieu d'adultes souvent frustes, pour accomplir un travail pénible, l'emplissait de désespoir. « Antoine ne verra plus Caps, pensait-elle, il n'aura pas d'instruction. Il restera prisonnier de notre condition. »

Elle caressa furtivement l'épaule de son enfant et fit volte-face sans rien ajouter, sans montrer son désarroi. Toute droite malgré sa peine, elle reprit le chemin de la Caminasse, sous l'œil attentif de Salaberry. Elle pleurait.

Il le vit et en fut touché. Immédiatement, la sympathie lui vint pour le plus jeune de ses employés.

– Allez, Graveille, monte là-dessus, fit-il en l'aidant à grimper sur sa charrette. On va au port de la Lune, j'ai une livraison à prendre. Il faut bien que tu saches ce qu'elle fait, cette morue, avant de se retrouver dans nos assiettes !

Antoine, en proie à un gros vague à l'âme d'avoir vu sa mère si malheureuse, retrouva le sourire et reprit des couleurs. Au premier jour de sa nouvelle condition d'ouvrier, il revenait à l'embarcadère de tous ses rêves !

Salaberry arrêta son équipage en face de la place de la Bourse, sur le quai descendant en pente douce vers la Garonne. Toute une industrie s'était développée là, notamment des entreprises de « bord à bord », qui menaient les négociants à bord des grands voiliers pour leur permettre de reconnaître la marchandise qu'ils avaient commandée.

Flanqué d'Antoine et de Lespinasse, son trieur, qui les avait rejoints sur le quai, Salaberry se fit aussitôt conduire, à bord d'une de ces embarcations, sur l'*Albatros*. Le trois-mâts de Cancale empestait la morue. L'odeur était partout : dans les vêtements des hommes d'équipage qui paraissaient exténués, sur les cordages, dans les boiseries, dans l'air qu'on respirait. Il fallait avoir le cœur bien accroché pour résister à une telle puanteur.

Une fois achevées les civilités d'usage avec le capitaine, un grand type qui n'arrêtait pas de cracher sur ses sabots et parlait avec un fort accent breton, Salaberry envoya son trieur dans la cale du navire. Il fallait s'occuper de trier la cargaison qui lui revenait, en trois plateaux : un pour les petites morues de moins d'un kilo, un autre pour les moyennes, entre un et deux kilos, un troisième pour les plus grandes.

Pendant que Lespinasse opérait, sous la haute surveillance du second de l'*Albatros*, la gabarre de Coutenuit vint se ranger au flanc du navire.

– Attrape, Graveille, cria le vieux gabarrier, en lançant à Antoine une lourde amarre, qui manqua l'envoyer par terre.

Le capitaine la lui prit des mains et lui montra comment l'enrouler autour du bossoir* pour qu'elle ne « lâche pas », malgré les mouvements du navire et de la gabarre.

Coutenuit était venu de Bègles avec le descendant, porté par le courant jusqu'au port de la Lune. Pour franchir le pont, à peine vieux de vingt ans, il lui avait fallu escamoter son mât et bien tenir sa barre. La moindre fausse manœuvre pouvait l'envoyer se fracasser sur l'une des piles, comme c'était arrivé à d'autres gabarriers imprudents. Coutenuit connaissait le fleuve comme sa poche. Avant lui, son père et son grand-père avaient fait ce métier. Il était l'héritier d'un savoir précieux ; il manœuvrait par tous les temps. Pour le transport des morues, c'était l'homme de confiance de Salaberry.

Ayant obtenu son bulletin de déchargement du bateau des douanes, qui sillonnait le fleuve entre les voiliers au gré de la marée, il entassa les morues de Salaberry sur sa gabarre. Tous ses gestes obéissaient à une logique d'occupation de l'espace, économique et réfléchie. Silencieux et admiratif, Antoine observait ce transfert de main en main, qui avait la gravité et la précision d'un rituel.

Quand la gabarre de Coutenuit fut remplie à ne pouvoir y glisser une morue de plus, Salaberry et Antoine repartirent vers le quai avec la navette de l'entreprise de « bord à bord » et reprirent le chemin de Bègles.

– Qu'est-ce qu'ils vont en faire, des morues ? demanda Antoine avec une certaine inquiétude.

– T'en fais pas, mon gars, tu vas les revoir, tes morues ! lui fit Salaberry en riant. Coutenuit va maintenant attendre le montant pour revenir chez nous. Il devrait rejoindre le Petit-Port dans une heure.

Sur le quai du Petit-Port, juste devant la sécherie Varet, s'affairaient déjà les « boucleurs » en attendant l'arrivée de Coutenuit. Ils préparaient les « bayards* », ces bâtis de bois disposés sur le quai afin d'en compenser la déclivité. Dès que la gabarre accosterait, ils en transporteraient la cargaison, sur leur dos, jusqu'aux charrettes en attente devant la sécherie.

Antoine avait déjà vu ces hommes courir rue de la Rousselle avec leur chargement de morues sur le dos, mais il ne se préoccupait pas de savoir, à l'époque,

quel était leur rôle exact au milieu du fourmille-
ment d'activités du fleuve où il aimait à se trouver.

Passée cette première journée d'observation, il lui
fallut apprendre vite. Salaberry n'aimait pas les gens
qui « traînent à rien faire ». C'était un homme para-
doxal, capable de sensibilité et de noblesse, mais
aussi d'une mesquinerie et d'une violence qu'avait
exacerbées son rôle à la sécherie. Il était dur avec
son personnel, des femmes pour la plupart. Il leur
tombait dessus sans arrêt. Devant de grandes maies
en bois alignées à hauteur de la taille, elles étaient
une douzaine d'ouvrières à répéter chaque jour les
mêmes gestes pénibles : tremper les morues dans
l'eau courante, les frotter énergiquement à l'aide
d'une brosse en chiendent pour en chasser le sel, et
recommencer jusqu'à ce qu'elles soient jugées prêtes à être chargées dans les wagonnets.

Les cheveux serrés dans un foulard de gros coton
blanc, protégées par de longs tabliers en toile cirée,
elles n'avaient pas le temps d'essuyer la sueur qui
perlait sur leur front et coulait le long de leurs bras
nus, des bras musclés comme ceux des hommes,
portant encore fraîche la marque du soleil après un
été passé dans les vignes toutes proches de la Raze
ou du Clos de Hilde.

Salaberry ne tolérait pas qu'elles s'interrompent.
Pour mieux les surveiller, il se dissimulait derrière
les tables sur lesquelles Lespinasse, le trieur, empi-

lait les morues en fonction de leur taille et de leur poids, la peau toujours dessus, avant qu'elles ne passent au brossage.

Lespinasse, solidaire des femmes qui trimaient devant lui, penchées sur leur maie, les mains rongées par l'eau salée, s'arrangeait toujours pour les prévenir de la présence de Salaberry en chantonnant l'air du « Petit Caporal ». À son insu, ce surnom avait fini par lui coller à la peau. Mais malgré les brimades qu'il leur infligeait, trop soucieux de bien servir son patron, le « Caporal » aimait les femmes et son charme naturel agissait sur les ouvrières.

Sa manière de les regarder ne trompait pas. Ses yeux bleus s'attardaient surtout sur les plus jeunes. Recherchait-il à travers elles la jeune Esquimaude disparue dans les terres arctiques ? Que de fois Antoine surprit-il Salaberry, dans un coin mal éclairé de la sécherie, avec la Jeanne ou la Giselle ! C'étaient les fortes en gueule de l'équipe pourtant, toujours prêtes à défier le « Caporal ». Cette faiblesse, bien connue de tous à la sécherie, le mettait quelquefois dans des situations difficiles avec des maris jaloux, et sapait son autorité sur l'ensemble du personnel.

Dans cet univers pénible, puant et vulgaire, Antoine peinait à trouver sa place. Salaberry l'avait affecté aux pendilles, aux côtés de Capdebos. Il rangeait les morues brossées et lavées, bien entassées dans la brouette de Capdebos, pour les porter auprès des lattes de bois, les pendilles, alignées sur toute l'étendue du pré du Petit-Port, sur lesquelles elles sécheraient. Antoine passait une à une les morues à Capdebos qui les enfilait par la queue sur trois rangées de lattes. L'homme avait le geste précis et rapide, et possédait un formidable instinct : il pouvait prévoir presque à coup sûr les changements de temps. Ainsi Salaberry l'avait-il très vite nommé « chef des pendilles ». Faire sécher la morue en plein air était, en effet, tout un art. Il ne fallait jamais tendre si la pluie ou une grosse chaleur menaçait. Ces dépouilles alignées par milliers, Capdebos en prenait un soin jaloux, arpentant ses rangées de pendilles, étudiant les moindres variations du vent et du ciel, scrutant les lointains.

Il communiqua cette science météorologique à Antoine, qui devint très vite un bon ouvrier.

22 octobre 1844
On a beaucoup travaillé cette semaine. J'ai du mal à écrire tellement je suis fatigué. Salaberry voulait qu'on aille vite parce qu'il y avait beaucoup de commandes. Ce travail ne me plaît pas. Moi, je ne veux pas la sécher, la morue, mais la pêcher.

À la maison, mon père rentre de plus en plus tard et sent l'alcool. Il est méchant avec ma mère qui pleure souvent. Il se plaint, il en veut à la terre entière et n'arrête pas de répéter qu'un jour il y aura une révolution. Je ne sais plus comment faire pour venir en aide à ma petite mère que je vois si chagrine.

L'autre jour, Salaberry est venu lui rendre visite pour la complimenter sur mon travail. Il doit trouver ma mère à son goût, il lui tourne autour. Si ça pouvait rendre mon père jaloux !

Voilà des semaines que je ne suis pas revenu chez Caps, ces satanées morues me prennent tout mon temps. Je n'ai aucune nouvelle d'André. Il me manque. Sans lui, sur la Garonne, ce n'est plus pareil. Son père n'arrête pas de me répéter que tout va bien, mais je ne le crois pas. Vivement que sa saison de grande pêche se termine et qu'il revienne.

Antoine partait chaque matin au travail à contre-cœur. Même s'il ne le formulait pas clairement, il avait le sentiment de sacrifier une partie de lui-même pour la survie de la famille. Sur le chemin du Petit-Port, les discours de Caps sur ces familles « marquées au fer rouge de l'injustice », et toutes ses théories sur les communautés d'ouvriers, qu'il n'avait pas comprises à l'époque, lui revenaient en mémoire. À la sécherie, il prenait conscience de sa condition, et ne se résignait pas à son sort. Insensiblement, il se forgeait une âme de révolté, et il en arrivait à mieux comprendre son père.

Pourtant Abel lui causait toujours autant de honte. Un dimanche de la Saint-Pierre, Coutenuit organisa une grande fête sur les berges. Tout ce que Bègles

114

comptait de vignerons, d'ouvriers, de besogneux était là. Le vin de palus coulait à flots. Bien sûr, il se trouva des gars pour s'amuser à faire boire Abel jusqu'à ce que sa bouche pâteuse se mît à trébucher sur les mots. Les rires gras étaient autant de flèches empoisonnées pour Antoine, témoin humilié de leur manège. À plusieurs reprises, le jeune garçon vint secouer son père et le rappeler à une tenue plus digne. Il osa même une observation désagréable à l'adresse de Bignères, le forgeron, qui se régalait des histoires équivoques ou vulgaires de Graveille.

À la fin de l'après-midi, Abel titubait. Antoine décida de le ramener chez eux, à la caminasse du Lugan. Abel avait le vin triste. Il pleurait comme un enfant en s'épanchant sur l'épaule de son fils. Antoine versait aussi des larmes, mais de rage et d'humiliation. Comment son père pouvait-il tolérer d'être la risée de toute la communauté des ouvriers réunis pour la fête en présence des patrons, toujours enclins à observer et blâmer « l'alcoolisme des pauvres » ? Ce dimanche de la Saint-Pierre, Antoine but lui aussi la coupe jusqu'à la lie. Il aurait voulu jeter le nom qu'il portait à la Garonne, le rayer pour toujours. Il n'avait qu'une idée en tête, échapper à sa condition, mais son jugement n'était pas encore assez formé pour comprendre que son père secouait le joug à sa façon. Il le trouvait pitoyable, comme la majorité des trente ouvrières et ouvriers de Varet. Il éprouvait sans doute de la sympathie pour Capdebos ou Paulette Debard, qui dirigeait la mise en « boucauts », des fûts en bois de vingt-neuf kilos, destinés au transport vers le Brésil. Mais pourquoi se soumettaient-ils tous à la rude discipline imposée par le patron ? Pourquoi les femmes admettaient-elles les privautés que Salaberry s'autorisait avec elles ?

À force de retourner tout seul dans sa tête ces interrogations, n'ayant personne à qui se confier, il finit par mépriser tous ces pauvres diables. Il n'osait même pas revenir chez Caps. Il n'avait pas envie de subir ses reproches et ses réflexions caustiques. Le Béarnais, comme on le surnommait au village, et tous ceux qui, à Bègles, n'aimaient ni les patrons ni les curés raillaient les idées politiques que Varet mettait en œuvre dans son entreprise.

Il ne se passait pas de jour sans que Varet ne vînt en personne à la sécherie. Son chapeau auvergnat sur la tête, il n'hésitait pas à mettre la main à la pâte, profitant de l'occasion pour expliquer aux ouvriers comment s'y prendre. Il connaissait tout de la morue et montrait une adresse peu ordinaire dans chacune des opérations. Il adorait « donner l'exemple », utilisant les rares pauses de la journée pour faire la leçon à son personnel. On l'écoutait d'une oreille distraite, tandis qu'Antoine bouillait de lui dire ses quatre vérités.

— J'ai commencé comme vous, les enfants, rabâchait-il. Si j'ai réussi à m'élever, c'est à force de privations et de calculs. J'ai économisé et encore économisé. Chez nous, en Auvergne, voyez-vous, on sait ce qu'est un sou, parce qu'on est nés pauvres. C'est pour ça qu'on est venus ici et qu'on a trimé comme des bêtes. Si j'y suis arrivé, il n'y a pas de raison pour que vous ne réussissiez pas.

Tous connaissaient l'homélie par cœur, ainsi que sa sempiternelle conclusion :

– Ne laissez rien perdre d'utile à l'homme et à la terre.

Varet, un chrétien convaincu, n'aurait jamais manqué la messe du dimanche à Saint-Pierre. Fort de ses convictions, il accordait à ses ouvriers un quota de morues séchées qu'ils pouvaient aller vendre au marché des Capucins, à Bordeaux, pour arrondir leur paye. Mais une paye était calculée à la pièce et non pas à la journée, « une belle gabegie », pestait-il pour justifier son système pervers.

Pour éviter la triche, en effet, il lui fallait faire surveiller étroitement ses ouvriers. C'était là le travail de Salaberry, le « Caporal ». Il y était secondé par quelques petits chefs, hommes et femmes, qui n'aimaient rien tant que de « tenir » leurs camarades en contestant leurs chiffres devant le patron. Quant au malheureux jugé coupable de tricherie, il devait une amende, prélevée sur son maigre salaire. Avec cet argent, Varet constituait une caisse et la faisait administrer par une commission, composée de quatre ouvriers, choisis parmi les anciens de la maison. C'est lui qui la présidait. Il faisait distribuer des primes aux plus « honnêtes et méritants ».

Quand un ouvrier tombait gravement malade, il ordonnait une souscription générale. La commission fixait la quote-part de chacun en fonction de ses gains. Varet lui-même versait la sienne, dix fois plus forte que la plus élevée de ses ouvriers.

– Si je le pouvais, disait-il souvent à son personnel, je vous aiderais à constituer des réserves en cas d'accident ou de chômage, mais je ne suis pas assez riche.

Paternaliste, chrétien et social, Varet était, avec ses grosses moustaches, ses qualités et ses défauts, un précurseur. Après lui étaient arrivées ces « familles » de sécheurs de morue, les Bouquier, les Granet, les Melis, les Boyer, attirées à Bègles par les vastes étendues de terrains en bord de Garonne, de médiocre qualité, impropres à la culture de la vigne, et par le coût peu élevé de la main-d'œuvre.

Adjoint au maire, Varet s'était acquis le sobriquet de « Tinette », parce qu'il réclamait régulièrement, au conseil municipal, que la commune installe des lieux d'aisance, des « omnibus » comme il disait. Tout Bègles riait de ce mot, imaginant des baquets à roulettes pour recueillir la matière !

En fait, Varet envisageait les omnibus pour faire transporter et vider ces lieux d'aisance par les indigents du bureau de bienfaisance. On aurait ainsi fertilisé à bon compte quelques friches communales pour y produire des légumes. La terre béglaise s'y prêtait bien.

Varet méprisait les moqueries. Il était sûr d'œuvrer pour le bien public, et il exprimait haut et fort ses idées originales.

Quelques jours après l'inauguration de la ligne de chemin de fer Bordeaux-La Teste, qui eut lieu le 6 juillet 1841 et révolutionna la région, il avait proposé que la municipalité rachetât le mâchefer des locomotives pour améliorer la qualité des chemins. Une fois de plus, il s'était battu seul, et devrait attendre que la ligne Bordeaux-Toulouse traversât Bègles, en 1856, pour voir triompher son point de vue. Varet était de ces hommes qui ont un temps d'avance, dans les idées comme dans les affaires. Il le savait, et cela lui donnait un air dominateur, en contradiction avec son humanisme sincère.

Quand Bellard lui avait parlé d'Antoine, il avait froncé le sourcil :

— Onze ans, ce n'est pas un âge pour travailler ! s'était-il exclamé. Ce Graveille, c'est le fils de celui qu'on appelle « bonnet rouge », à cause de ses idées révolutionnaires et de son goût pour la bouteille ? Il travaille à la tonnellerie de Bazeille, hein ?

— Oui, monsieur, fit Bellard.

— Et son gosse, il ne nous fera pas d'ennuis ? Est-ce qu'il va à la messe, au moins ?

— Tous les dimanches, monsieur.

— Bien. Alors, tu en décides, Salaberry, dit-il au contremaître, qui avait assisté à l'entretien.

Varet se mit en tête de soustraire Antoine à l'influence de son père subversif et alcoolique, et de

« l'éduquer ». Mais à force de lui citer en exemple, chaque jour de la semaine, tel ouvrier pour son abstinence, tel autre pour son application au travail ou son sens de la discipline, il obtenait le contraire de ce qu'il attendait. L'enfant, apparemment docile, avait l'orgueil de son nom et des siens chevillé au corps. Il se mit à haïr les interdits de Varet, relayés comme une litanie par Salaberry : pas de paroles grossières, pas de blasphèmes envers les saints, et tout particulièrement contre la Vierge Marie, dont l'image veillait dans chaque salle sur les ouvriers, pas de chansons « obscènes » ou « politiques », pas de « livres pernicieux et de journaux condamnables »... La sécherie était devenue insupportable à Antoine quand, le 14 octobre 1845, Varet le convoqua dans son bureau :

– Graveille, peux-tu me dire pourquoi je ne te vois jamais venir ici, comme tous nos bons ouvriers, prendre quelques livres décents, moraux et instructifs, qui seraient bien utiles à ton éducation ?

Antoine, debout, le regarda droit dans les yeux. Il rassembla toute son énergie et les mots sortirent de sa bouche comme un torrent :

– Monsieur Varet, vos livres soi-disant moraux et instructifs ne sont que des niaiseries, écrites pour laisser le peuple ignorant, et l'abêtir encore un peu plus.

Personne n'avait jamais osé parler sur ce ton au « patron ». Antoine, figé, attendit la bourrasque. Pâle comme un mort, contenant sa colère, Varet lâcha :

– J'aurais dû m'en douter. Les chiens ne font pas des chats. Tu n'es qu'une langue de Graveille. Tu n'as plus ta place ici.

Il mit la main à sa poche :

– Tiens, fit-il, voilà ta semaine... moins l'amende pour ce que tu as osé me dire, avec tout ce que j'ai fait pour toi !

Antoine serra les poings en fixant la main que Varet lui tendait :

– Gardez le tout, monsieur Varet, lui dit-il sur un ton assuré, vous en serez plus vite riche.

Sans attendre la réaction de l'Auvergnat, l'enfant remit son béret sur sa tête et tourna les sabots. Il partit sans saluer personne. Il se jura qu'il ne reviendrait plus jamais en ces lieux, sinon pour y « libérer » les ouvriers.

Quand il arriva chez lui et raconta, sans rougir, ce qui venait de se passer, son père esquissa un geste de félicitation aussitôt retenu pour ne pas accabler Louise, déjà en larmes.

– Qu'allons-nous devenir ? répétait-elle sans cesse. Pourquoi as-tu voulu faire le fier ? Pour ressembler à ton père ? On n'a pas déjà assez d'ennuis comme ça ? Quand on est l'aîné d'une famille de cinq enfants, on doit savoir se taire...

Elle plongea son visage ruisselant de larmes dans son tablier, releva aussitôt la tête, et darda sur son fils un regard plein de reproches :

– Tu nous as déshonorés, lui lança-t-elle.

À peine avait-elle lâché ce dernier mot qu'Abel, dans un élan de fureur, la secoua violemment par les épaules, en hurlant :

— Ne redis plus jamais ça, tu m'entends ? Plus jamais... Antoine s'est comporté en Graveille, c'est tout.

Désemparé par les larmes de sa mère, furieux d'être à l'origine de cette dispute, Antoine n'avait pourtant aucun regret. Il se rapprocha de Louise et passa ses bras autour de sa taille :

— Maman, je veux partir pour la grande pêche, lâcha-t-il avant d'embrasser avec frénésie ses joues au goût de sel.

Il embarqua sur l'*Arbonnaise* le 19 mars 1846, le jour où son père livrait ses premiers boulons à Soubiran, pour tenir les rails de la ligne Bordeaux-La Teste. André, lui, n'était pas revenu de Terre-Neuve.

Chapitre 9

L'océan ne ressemblait en rien à ce dont avait rêvé Antoine. Du golfe de Gascogne aux Açores, un temps de chien secoua l'*Arbonnaise*. C'était une danse infernale, quelque chose d'effarant, d'énorme, qu'il n'avait jamais soupçonné. Le voilier se défendait bien, mais on le sentait peiner. L'enfant, effrayé, découvrait la violence de la mer, qui n'offre une surface lisse qu'aussi longtemps que le vent ne se lève pas. Il avait vu des vagues, sur la Garonne, notamment le mascaret, mais celles de la mer étaient tout autres. Les éléments n'étaient plus à leur place habituelle. L'eau, en masses énormes, s'élevait partout, à gauche, à droite, dans l'air. Elle ne semblait manquer que sous le bateau, qui plongeait dans des creux démesurés. Et puis, le vacarme. Il n'avait jamais rien entendu de tel.

Le ciel était chargé de nuages si épais qu'on aurait dit la nuit. Les lames venaient exploser sur la coque comme des coups de canon, et se tordaient dans un ronflement de fournaise comme des flammes blanches dans les ténèbres. D'énormes masses d'eau s'abattaient sur le pont avec un claquement sec qui faisait vibrer la charpente.

Puis la nuit était tombée, guère différente du jour, un noir absolu qui amplifiait l'horreur d'Antoine. Les cris et les sifflements du vent, les hurlements de la mer, les assauts des vagues qui venaient frapper le bateau en plein ventre n'en étaient que plus lugubres.

25 mars 1846, au matin
L'océan s'est calmé. Nous sommes au large des Açores. Je suis si fatigué que j'ai l'impression d'avoir déjà fait le tour du monde.

Je me demande comment l'Arbonnaise a tenu le coup. On avait réduit toute la toile, on ne savait même pas où on était. Moi j'ai eu peur. Les autres faisaient les malins. Ils n'étaient pas plus rassurés que moi.

À un moment j'ai entendu pleurer un enfant, comme un enfant battu, mais ce n'était que le vent. Il soufflait si fort, je n'ai pas pu rester sur le pont plus d'une minute. Il me cuisait la peau des joues. Le capitaine m'a obligé à rentrer dans la cabane avec Michel, l'autre mousse. On s'est serrés l'un contre l'autre.

J'ai été malade comme un chien. C'est normal, il faut s'habituer.

D'après Henri, les lames faisaient dix à quinze mètres. On était soulevés comme une plume, puis on tombait interminablement. J'ai fait je ne sais combien de signes de croix. Je pensais ma dernière heure venue, mais l'Arbonnaise se relevait et continuait à foncer dans les vagues...

Je comprends mieux l'abbé Moustey quand il nous décrivait le Jugement dernier. L'équipage, les seconds et le commandant restaient sans piper mot. Ça m'a rassuré.

Je comprends aussi ce que signifie « maître à bord après Dieu ». La pipe à la bouche, comme tous les jours, Le Hideux envoyait ses ordres toujours calmes. Et tout le monde obéissait calmement.

Je n'aime pas le patron. Il croit que rien ne peut lui résister. Je ne supporte pas sa manière. Il nous parle comme à des esclaves, pourtant ce type-là a un sacré caractère.

Il a donné ordre d'envoyer toute la toile pour profiter des alizés. Il rattrape le temps perdu à cause de la tempête. L'Arbonnaise file bon train. De là où je suis, je peux regarder le grand mât se balancer sous le ciel bleu. Pour la première fois depuis que nous avons quitté le port de la Lune, je suis heureux : mon rêve se réalise.

Les pensées d'Antoine le ramenèrent à Bordeaux, le jour du départ. Un visage, un seul, passait et repassait devant ses yeux, celui de sa mère. Et,

125

d'abord, les larmes qu'elle n'avait pu retenir quand le commandant avait donné l'ordre d'appareiller. Pour ne pas montrer son émotion, Antoine s'était tourné vers Yack, le chien du bateau, et lui avait caressé la nuque avec tendresse :

– Allez, ne t'en fais pas, dit-il au terre-neuve, tout ira bien.

Il avait ensuite attendu que l'*Arbonnaise* ait largué toutes les amarres pour lancer à sa mère un dernier geste avec son mouchoir. Elle était venue seule, comme si cet événement ne pouvait appartenir qu'à eux deux. Jamais, sans doute, ils ne s'étaient dit leur amour avec autant de force que dans le silence de ce départ.

Machinalement, Antoine passa sa main sous son tricot pour caresser sa précieuse médaille. Il y tenait comme à sa propre vie. C'était son talisman, la présence de sa mère à ses côtés. Avec l'éloignement, son amour pour elle devenait vénération.

Le sentiment confus d'être observé l'arracha en un clin d'œil à sa rêverie ; son regard inquiet croisa les yeux douloureux de Iannick. Il se détendit un peu : de Iannick, il n'avait rien à craindre. Les autres l'avaient surnommé « l'Amiral » car c'était un étonnant marin. Iannick n'était pas agressif, lui. Simplement désespéré.

À Bordeaux, au moment de l'appareillage, il avait poussé un cri atroce qui avait arrêté toute l'activité du quai l'espace d'un instant. « Sois maudite ! Adieu à jamais ! » avait-il lancé, la bouche écumante et les yeux fous, à une splendide brune qui l'avait accompagné. Antoine avait cru sur le moment qu'il allait se jeter à l'eau de désespoir mais Iannick s'était accroché au bastingage, tremblant de tous ses membres comme un enragé.

Tout l'équipage de l'*Arbonnaise* connaissait les infortunes de « l'Amiral ». Pour suivre cette femme qui faisait son malheur, il avait quitté sa Bretagne et s'était installé avec elle dans l'Entre-Deux-Mers. Mais tous ses efforts pour se faire à cette vie de terrien avaient été vains. Sur le plancher des vaches, sa nature se trouvait à l'étroit. Il étouffait. Et sa femme exigeait qu'il se pliât à des travaux de la ferme comme s'il était né avec une « âme de terre », pour reprendre son expression favorite. Marin exceptionnel, courageux, énergique, il perdait toute vitalité dès que ses bottes avaient quitté le pont du bateau. À terre, ce n'était plus le même homme. Toutes ses forces, il les employait à contenir sa violence en silence, de peur de commettre l'irréparable envers sa femme. La colère lui bouffait les entrailles. C'était un lion en cage.

Exaspéré, rongé par des mois de révolte silencieuse, il n'avait pu retenir l'énergie de son désespoir au moment du départ.

— Je suis fier de vous ! avait lancé Le Hideux, au lendemain de la tempête.

Les hommes d'équipage l'entendirent à leur manière : ils sollicitèrent la bouteille avec une telle ardeur que, le soir venu, on pouvait tout craindre d'eux. Transi de peur, épuisé, Antoine, dans sa « cabane », priait le ciel pour être oublié de ces brutes avinées. Il serrait fort son médaillon en fermant les yeux pour essayer de trouver le sommeil. Yves, l'un des dorissiers, entra, lui mit la main au collet, et le renversa de sa couchette : « Va nous chercher à boire, et plus vite que ça, fainéant, punaise, vaurien. » Yves avait la bouche pâteuse, mais sa force herculéenne était intacte. Il jouait avec le pauvre môme, content de son numéro : les autres hurlaient de rire, se tenaient les côtes, tanguaient sur leurs jambes mal assurées.

Un grand coup de pied dans les fesses envoya Antoine au plancher, un tour de poignet le décolla du sol. Un filet de sang coulait sur son visage.

– C'est le métier qui rentre, fit le Breton en avalant d'un trait un verre de gnôle.

– Au jus, cure-chaudron ! Décolle-toi, maudite bigaille ! reprirent les autres visages abrutis aux yeux rougis.

Ils faisaient autour d'Antoine un tunnel d'épouvante qu'il devrait franchir s'il ne voulait pas endurer pire. La bordée d'injures ne parvint pourtant pas à l'abattre. Au contraire, elle l'encouragea à résister, à tenir tête. Il se mura dans le silence et fit son chemin vers la cuisine.

À l'arrière du bateau, elle avait subi l'assaut des paquets de mer de la veille. Le vieux fourneau, qui en était à sa dixième campagne sur les Bancs, était rougi par la rouille et rongé par le sel. Sur les planches épaisses des parois cliquetait au roulis la batterie de casseroles. Dans ce périmètre étroit, royaume de Marcel, « l'Empoisonneur de chrétiens », tout était noir et sale, à commencer par le cuisinier et jusqu'à la lumière qui filtrait à travers la graisse accumulée.

Les pieds dans l'eau croupie, Marcel insultait le fourneau qui lui crachait sa fumée noire à la figure, et s'affairait sur les énormes marmites qui devaient nourrir trente-cinq hommes d'équipage.

D'un coup d'œil, le cuistot vit qu'Antoine faisait une drôle de tête :

– Allons, petit, faut pas t'en faire comme ça !

Puis, content de lui comme s'il venait de percer le secret de son âme, il ajouta en lui tendant un verre rempli d'un vin noir et épais :

– Tu viens de lâcher le sein de ta mère, alors, faut le remplacer. Tiens, petit, prends ce biberon !

– Non merci, monsieur, je ne veux pas boire, refusa timidement Antoine.

– À Terre-Neuve, reprit le chef, l'alcool est aussi nécessaire au marin que le sel à la morue ! Ça conserve.

D'habitude, les mousses ne discutaient pas ses ordres.

– Prends, menaça-t-il, ou je te l'engouffre dans le gosier !

Joignant le geste à la parole il voulut le faire boire de force, mais Antoine cracha violemment. Marcel, fou furieux, le repoussa au fond de la cambuse, s'empara d'un seau plein d'eau de mer. Il se planta devant Antoine et lui dit froidement :

– Et ça, tu le boiras ?

– Je vous dis que je ne veux pas boire, répéta Antoine avec fermeté.

Le seau d'eau glacée l'atteignit en pleine figure.

– Tu vas boire, cette fois ? Tu vas boire, oui ou non ?

À bout de forces, Antoine s'effondra en larmes. Mais il n'imagina pas de céder. Il lui fallait très vite se sortir de ce mauvais pas.

L'inspiration vint enfin :

– On était heureux, chez nous, et puis mon père s'est mis à boire. On n'avait même plus d'argent pour acheter le pain et on a été obligés de vendre notre maison. Mon père s'est jeté dans le fleuve. Et il est mort. Avant mon départ sur l'*Arbonnaise*, ma maman m'a fait promettre de ne jamais boire d'alcool. Il a fait son malheur et celui de toute notre famille...

Le cuistot s'attendrissait à vue d'œil. Antoine implora :

– S'il vous plaît, ne me forcez pas. Je veux tenir la promesse que j'ai faite à ma mère !

Marcel laissa tomber son seau. De grosses larmes coulaient sur son visage. Antoine éprouvait la fierté des vainqueurs. Le cuistot prit la tête de son nouvel ami entre ses mains et la pressa contre son cœur.

– Tu es un brave petit, dit-il, tiens ta promesse. Et si quelqu'un essaie de te faire boire, viens me trouver. Parole de marin, il aura affaire à moi !

Escorté du cuistot que les hommes d'équipage craignaient, Antoine revint au poste avec le vin. Marcel ne dit pas un mot, mais il resta jusqu'à ce que son protégé soit installé dans sa cabane. Personne n'osa l'y déranger.

À l'approche des Bancs, le navire entier s'affaira. Il fallait préparer la pêche : les « dorissiers* » sortirent de la cale leurs embarcations à fond plat, emboîtées les unes dans les autres comme des poupées gigognes ; les ligneurs préparèrent les centaines de milliers d'hameçons qu'ils accrocheraient plus tard aux mannes*, une fois boettés, c'est-à-dire équipés de bulots, l'appât des morues. Les journées de travail étaient longues, surtout pour les mousses qui devaient, en plus de toutes les corvées, assurer le service des repas à l'équipage, à six heures du matin et à six heures du soir. Antoine attendait avec impatience que la pêche commence. Il ignorait encore les souffrances des mousses, pendant la Grande Pêche.

2 et 3 avril 1846

Nous nous rapprochons des Bancs. D'après le patron, nous y serons dans trois ou quatre jours, mais il se méfie des blocs de glace, nombreux par ici. On avance comme dans un nuage de plumes. La brume est toujours plus épaisse. Le capitaine a fait sonner la cloche toute la nuit. Je n'ai pas fermé l'œil. Le nombre des veilleurs a été doublé. Ce matin, le temps s'est éclairci. On a vu d'autres navires qui vont comme nous sur les Bancs. Il fait de plus en plus froid.

Dans l'après-midi, vers les accores* est et nord-est du Grand Banc, le thermomètre a encore baissé et la brume est revenue en une demi-heure. Nous approchons de la zone des glaces. J'ai peur, mais ma curiosité est plus grande que ma peur !

– Droit devant, glace !

Il était un peu plus de quatre heures, et l'*Arbonnaise* filait à quatre-cinq nœuds dans la brume, lorsque l'homme de bossoir lança l'avertissement. Le commandant, qui n'avait pas quitté la dunette, ordonna aussitôt :

– La barre en dessous !

Trop tard : dans un fracas assourdissant, le bout-dehors se brisa contre la falaise de glace qui s'était soudain dressée devant l'étrave. L'*Arbonnaise* craqua de partout, stoppée net. En quelques secondes, sans un mot, l'équipage au complet fut à son poste

132

sur le pont, prêt à exécuter les ordres du commandant. Curieusement, un grand calme régnait parmi les marins : une voie d'eau aurait été fatale, mais personne ne manifestait d'inquiétude. Avec le mouvement de la mer, la falaise bleutée s'approchait dangereusement du mât de misaine. Les gabiers étaient à leurs seaux, et les dorissiers prêts à crocher pour évacuer le navire.

Antoine se prépara au pire. Il n'avait pas eu le temps d'aimer l'*Arbonnaise*. Mais il en voulait à la mer et aux éléments, les maudissait de lui gâcher déjà sa nouvelle vie, celle qu'il s'était choisie, qu'il avait voulue envers et contre tous. Dans son tricot, il serrait son petit carnet rouge et le précieux médaillon enveloppé dans son mouchoir. Une seule idée occupait son esprit : comment protéger ses « trésors » en cas de naufrage ? L'eau glaciale menaçait à tout moment d'inonder le pont.

Il détestait l'idée de finir si vite ses jours. La perspective de mourir le navrait bien plus pour les siens, sa mère, ses frères et sœurs, que pour lui-même. Une bouffée de rage désespérée l'envahit. Il se sentait maintenant affreusement coupable d'être parti si loin d'eux au moment où ils avaient peut-être le plus besoin de lui.

Le capitaine donna l'ordre de contrebrasser le phare avant pour le libérer de la glace. Au bout d'une demi-heure qui parut à Antoine aussi longue qu'une nuit, l'*Arbonnaise* commença à bouger. Une sorte de gémissement s'éleva finalement des membrures du navire : il venait de se dégager.

La catastrophe avait été évitée de justesse grâce au savoir-faire et au sang-froid du capitaine. Antoine vit bien d'autres masses de glace qui dérivaient sous l'action conjuguée des vents et des courants. Il les imaginait vivantes, leur attribuait des intentions malignes. Il avait fini par croire dur comme fer à l'explication d'Émile, le gabier du gaillard d'avant, un conteur hors pair : d'après lui, on devait ces éternels et mortels vagabonds à un voilier fantôme, le *Chasse-Foudre*. Pour rompre le cercle infernal des sept mers où Satan l'avait enfermé pour l'éternité, il se ruait chaque année d'un pôle à l'autre, dès que les jours s'allongeaient, pour briser la barrière de glace qui le tenait prisonnier.

Antoine craignait comme le diable ces montagnes blanches, échouées sur les bancs, ou à la dérive ; mais il ne pouvait s'empêcher d'admirer les formes que les embruns et le vent y avaient dessinées. Ils y creusaient des grottes, effilaient des aiguilles, sculptant des architectures gothiques... D'un jour à l'autre, le spectacle se renouvelait. Il suffisait que la température se réchauffât pour que ces montagnes se fracassent dans un splendide feu d'artifice de glace et d'écume, accompagné d'une canonnade assourdissante. Une forme nouvelle émergeait des poussières brillantes qui n'en finissaient pas de retomber.

Toutes les nuances du bleu au violet égayaient alors la mer grise.

La nuit, sous la pleine lune, ces cathédrales brillaient de mille feux. Non des feux de joie mais des étincelles de terreur pour les marins. Chaque navire, en route ou à son poste de pêche, courait un risque. Avec tout son métier, Le Hideux n'avait pu éviter la falaise cachée dans le brouillard. Il avait sauvé son bateau et ses hommes de justesse. Son collègue Le Rouzic, disparu corps et biens un an auparavant dans les mêmes parages, n'avait pas eu cette chance.

Le charpentier de l'*Arbonnaise* avait réparé les avaries et Le Hideux venait de donner l'ordre de lever le mouillage lorsqu'un cri stoppa la manœuvre. Un marin avait aperçu deux formes humaines enserrées dans la glace, à quelques dizaines de mètres. Le capitaine envoya aussitôt son second et deux hommes sur un doris*. À coups de pique à morue, ils dégagèrent de la glace les corps d'un adulte et d'un adolescent, parfaitement conservés. Les deux malheureux avaient tenté de se protéger contre le froid en se serrant l'un contre l'autre.

Le Hideux les fit ramener à bord. Une plaque de fer que portait l'adulte permit de l'identifier. C'était l'un des dorissiers de l'équipage de son collègue Le Rouzic. L'adolescent devait être son fils : leur ressemblance était manifeste. Le Hideux ne laissa paraître aucune émotion, mais son visage s'assombrit. Il sortit de sa poche une petite bible usée. Il se découvrit, lut un passage de l'Apocalypse de saint

Jean, et fit un signe de croix sur chacun des corps. On sonna la cloche cependant que le père et le fils glissaient à nouveau vers celle qui leur avait pris leur vie. Antoine se pencha par-dessus le plat-bord. Il ne vit que l'écume.

« *La mer ne prend que ce qu'on ne veut pas lui donner et ne donne que ce qu'on lui arrache.* »

En écrivant ces mots sur son petit carnet, Antoine se sentait aux portes de l'enfer. Il venait de comprendre que son rêve était fini. Pour la première fois de sa vie, il se sentit seul et abandonné.

Chapitre 10

En suivant la route du 47ᵉ parallèle nord, l'*Arbonnaise* arriva sur les Bancs. La présence de guillemots*, volant en ligne droite au ras de l'eau à la recherche de leur pitance dans les profondeurs, annonçait les hauts-fonds.

Le capitaine ordonna que l'on sonde : juste ce qu'il fallait pour tendre les lignes. Depuis qu'ils avaient rencontré le courant du Labrador, les remous s'étaient intensifiés. L'*Arbonnaise* avait atteint le Bonnet-Flamand, où Le Hideux tentait toujours sa première chance.

Après avoir étudié attentivement la couleur de l'eau, il cria :

– Pioche.

Le gabier* du gaillard d'avant desserra le guindeau*. Dans un fracas, les lourdes chaînes de l'ancre se libérèrent. Le navire lentement s'immobilisa au bout de son mouillage.

Trois embarcations furent mises à la mer pour aller chercher des bulots, coquillages dont les morues sont très friandes. Les dorissiers ramèrent jusqu'aux « taches de bulots », zones où les rochers affleurant signalaient la présence des précieux appâts. Ils y tendirent leurs chaudrettes*.

À bord, plus se rapprochait le premier contact avec la morue, qui occuperait tous leurs instants quatre mois durant, plus les hommes devenaient tendus, nerveux. Ils se parlaient peu, leur regard exprimait une dureté qui fit peur à Antoine.

Chacun savait ce qu'il aurait à faire dans les prochaines heures. Alfred, le saleur, mit entre les mains d'Antoine une cuillère à long manche :

– Tu seras notre énocteur*, lui annonça-t-il, ton boulot consistera à gratter le poisson que te passera le trancheur. Il faut faire disparaître toutes les traces de sang sur la chair ou dans les poches. (Et il lui montra le geste à accomplir.) Tu as compris ?

Antoine acquiesça d'un signe de tête.

– Quand tu auras bien gratté la morue, tu la feras glisser dans la cale par une coulisse que je te montrerai. Je te préviens, petit, je ne veux que du poisson net à saler, c'est clair ?

– Oui, fit Antoine d'un air timide.

– Toi, tu pomperas l'eau de mer pour alimenter la baille* de lavage, lança-t-il à Michel, l'autre mousse, qui venait de Saint-Malo. Je ne veux pas d'un fainéant qui fasse traîner, compris ?

L'autre, qui n'était pas plus costaud qu'Antoine, acquiesça les yeux baissés.

– Il n'y aura pas de jaloux, vous aurez tous les deux les pieds dans la baille ! ajouta Alfred dans un rire gras.

Ils allaient souffrir !

Les « bulottiers » revinrent avec plusieurs dizaines de mannes d'osier remplies de bulots, assez pour faire une marée. Ils les jetèrent sur le pont aux dorissiers de ligne qui écrasèrent les coquillages sous leurs sabots, pour en extraire la chair. Dès qu'ils eurent terminé, Le Garrec, le second, lança :

– Allez, les gars, ne perdons pas de temps, je sens que la morue va mordre.

Tous les dorissiers de ligne[1] commencèrent à accrocher les bulots aux hameçons. Le Hideux suivait les opérations avec une certaine impatience. Il avait envie d'en découdre, comme s'il s'agissait d'un compte personnel à régler. Dès qu'il arrivait dans ces « eaux de morue », il se métamorphosait, perdant tout sens de la mesure : nerveux, autoritaire et violent, il devenait capable d'imposer le pire à ses hommes.

Le Hideux avait commencé sa carrière comme mousse et avait perdu l'un de ses frères au large de

_____
1. C'est-à-dire les pêcheurs de morue.

139

Terre-Neuve. Fils d'un riche armateur de Paimpol qui avait noyé sa fortune dans l'alcool et laissé une veuve et cinq enfants dans le dénuement, il avait travaillé comme un forçat pour nourrir sa famille et faire oublier la honte qui entachait son nom. De ce lourd passé, il avait gardé une dureté terrible qu'il lui était impossible de réprimer dès qu'il arrivait sur les Bancs. Il suffisait qu'il prononce le mot « Croche » pour que se rouvrent ses cicatrices. Impuissant face à l'intrusion de son passé dans sa vie actuelle, il perdait tout contrôle, devenant un autre homme, cruel et intraitable avec son équipage.

Aucun de ses seconds n'avait voulu repartir avec lui pour une nouvelle campagne, à l'exception de Le Garrec qui le connaissait depuis l'enfance, et que le mystère de ce caractère continuait à intriguer. À la veille de chaque campagne, attendri par les malheurs de son ami, il se laissait convaincre : sachant tout de la vie de Le Hideux, il ne se sentait pas la force de l'abandonner. Le Garrec regarda à la dérobée son visage crispé : les Bancs avaient déjà pris possession du capitaine.

– Croche, lança Le Hideux d'une voix sèche.

« Croche », cet ordre qu'attendaient tous les hommes sonnait encore agréablement à leurs oreilles. Ils étaient impatients de se mettre à l'œuvre. Quelques jours suffiraient pour que ces six lettres symboliques de leur condition de forçat leur deviennent odieuses.

Les dorissiers se dirigèrent vers les rances* sur lesquelles étaient empilés leurs doris. Aidés de tous les hommes d'équipage, parmi lesquels Antoine, ravi de participer à une opération importante, ils accrochèrent leurs embarcations à deux poulies simples, que les terre-neuvas appellent bredindins, et les laissèrent descendre doucement jusqu'à l'eau. Malgré leurs bottes et leurs épais cirés de pêche, ils sautèrent par groupe de deux dans leurs doris sans effort apparent. Ils chargèrent ensuite leur armement : mannes, ancres de ligne avec leurs câblots*, bouées de reconnaissance, équipées d'un guidon portant leur numéro, petit compas liquide, gaffe, avirons de service et de réserve, écope, bidons d'eau douce, une voile et un mât, sans oublier le caqueux* à la ceinture de chaque dorissier.

Le Hideux accordait une immense importance à cette première marée. Il se pencha au-dessus de la lisse dominant les douze équipages de dorissiers prêts à « déborder » et les harangua :

– C'est votre première marée, vous allez en faire beaucoup d'autres durant cette campagne. Vous connaissez la devise : « La morue, toujours la morue. » C'est le moment de prouver que vous êtes les meilleurs. Pas de maladroits, de fainéants ni de malades. Vous connaissez votre boulot, ne perdez plus de temps. Les morues ont faim. Elles vous attendent !

Le premier doris à se détacher de l'*Arbonnaise* fut celui d'Yves. Fort de son expérience dans le métier, il trônait au milieu de sa petite embarcation, indiquant à Yann, son jeune équipier, dans quelle direction il devait ramer pour aller tendre les lignes. Celles-ci étaient à ses pieds, soigneusement lovées dans leurs mannes en osier. Pour éviter qu'ils ne s'emmêlent avant d'être mis à l'eau, les hameçons avaient été accrochées au bord des paniers.

Yves et les autres se dirigèrent chacun vers le point où ils devaient se rendre, en prenant bien soin de ne pas empiéter sur le secteur de leur voisin : une provocation qui pouvait donner lieu à de violentes contestations, ou même à des bagarres à mort.

La houle n'était pas trop dure. Yann n'eut pas de peine à ramer jusqu'à la zone de pêche que son patron avait choisie toute proche de l'*Arbonnaise*. Antoine put admirer, entre deux corvées, le travail méticuleux du dorissier. Aux rares moments de calme du voyage, Iannick lui avait décrit en détail chaque étape de la pêche. Il les suivit une à une, l'œil vissé sur Yves. Le pêcheur fila à la mer sa première bouée à bâton, puis le grappin destiné à tenir l'extrémité de la ligne et, enfin, la ligne elle-même. Antoine le vit à ce moment caler ses bottes dans les couples du doris. Iannick lui avait expliqué que la stabilité du pêcheur était primordiale : au moindre faux mouvement, les hameçons rentraient profondément dans les chairs. Les hameçons employés pour la morue étaient redoutables. Yves mit à l'eau sa seconde bouée, que les dorissiers surnomment « le gendarme », parce qu'elle balise le parcours et facilite la recherche des deux autres. Ils étaient déjà très loin de la première bouée, quand il commença à tendre la deuxième moitié de sa ligne. Antoine ne voyait presque plus le doris lorsque Yves jeta sa dernière bouée, dite « foraine » ou « du large », avant de rentrer à bord de l'*Arbonnaise*. Le temps était clair sans beaucoup de vent et le retour fut facile pour tout le monde. Au couchant, tous les doris étaient revenus et dodelinaient sur la mer, suivant l'*Arbonnaise* comme les canetons leur mère. Ils avaient été accrochés à des boucles, de distance en distance, sur une longue amarre. Les dorissiers appelaient cette chaîne la « sabaille ».

Antoine était fasciné par ces hommes aux allures de brutes, et dont le regard mystérieux portait la trace de ce qu'ils avaient vu au loin. Ce premier soir de pêche, Antoine les enviait. Il les regardait avaler goulûment leur soupe chaude, plein d'admiration. Ce soir-là, il rêvait de faire leur métier, le plus dangereux mais aussi le plus noble sur les Bancs. Il voulait être dorissier.

Livrés à eux-mêmes sur l'océan, ils étaient des hommes libres. Leur vie leur appartenait, dépendait avant tout de leur habileté et de leur capacité à maîtriser les éléments.

Le lendemain matin, dès que l'homme de quart put distinguer les gournables* du pont dans l'aube naissante, il réveilla les hommes. Il fallait reprendre la mer pour relever les lignes tendues la veille.

Antoine servit la goutte du matin à ceux de son poste, qui se rendirent aussitôt sur le pont où Le Hideux les attendait.

« Croche. » On ramena les doris de la sabaille et les douze équipages regagnèrent le large. Ce matin, le vent s'était levé et avait légèrement creusé la mer. Yann dut tirer fort sur ses avirons pour arriver sur la première bouée, qu'Yves chargea dans le doris avec son orin* et son ancre. Antoine observait, de loin. Arc-bouté dans le fond de son embarcation, Yves commença à relever le poisson. Il arrachait l'hameçon et jetait la bête à ses pieds, tandis que Yann lovait soigneusement la ligne dans la manne en osier en accrochant au bord les hameçons.

Quand ils eurent relevé toute la ligne, ils regagnèrent l'*Arbonnaise*, leur doris alourdi par les morues et les mannes de cordes avec leurs bouées et leur gréement. Cette première marée était abondante. Yves, superstitieux comme tous les marins, y vit le signe annonciateur d'une bonne campagne. À l'aide de son piquois, un grand bâton ferré à pointe acérée, il piqua les morues près des ouïes et les lança par-dessus bord tandis que Le Garrec, installé sur le pont, en notait le nombre sur son ardoise.

Bien avant midi, tous les dorissiers étaient rentrés. Le poisson attendait sur le pont.

– Alors, les drôles, lança Yves à Antoine et à Michel, c'est maintenant qu'on va voir ce que vous savez faire ! C'est dans la baille qu'on juge les bons mousses. Nous aussi on est passés par là avant vous. La morue, au bout d'un moment, elle va vous sortir par les yeux, elle va vous faire mal aux mains, elle va vous salir, elle pue à en dégueuler... N'y faites pas attention, c'est le métier qui rentre !

Antoine avait attendu ce moment avec fébrilité et se mit en position dans la baille, sa grande cuillère à la main, prêt à énocter.

Régis, l'ébrayeur*, piqua sa première morue sur un crochet fixé à l'établi installé devant lui. Il l'éventra d'un coup sec de bas en haut avec son couteau à ébrayer. Il jeta ses intestins, par-dessus bord, attirant aussitôt les oiseaux de mer qui virevoltaient depuis un moment autour de l'*Arbonnaise*, puis il la lança dans le parc à poissons, une sorte d'enclos formant un grand rectangle sur le pont. C'était le poste de travail de Marc, le décolleur : il attrapait au fur et à mesure les morues que lui lançait Régis et leur coupait la tête sur une sorte de couteau à pain renversé, fixé à un établi, la « guillotine ». En un rien de temps, il se trouva plongé jusqu'au ventre dans le poisson, tant le rythme de Régis était rapide. Bien que novice, Marc avait déjà le geste efficace. Aussitôt que, d'un coup sec, il avait fait tomber la tête de sa morue, il la passait à son voisin Jean, le trancheur. Sa spécialité avait valu à Jean le grade de lieutenant sur l'*Arbonnaise*. En deux coups de son couteau à trancher, il traçait de profondes entailles le long de l'épine dorsale, la « nau », de la morue, et l'arrachait ensuite d'un geste sec. Il jetait alors le corps aplati de la morue dans la baille de lavage où se trouvaient Michel et Antoine. Le premier pompait l'eau de mer sans s'interrompre pendant que le second grattait le poisson aplati avec sa grande cuillère.

Dès cette première marée, les deux malheureux mousses suèrent toute l'eau de leur corps tant ils craignaient une réprimande. Ils se savaient surveillés par plusieurs dizaines de paires d'yeux, en particulier celle du capitaine, traquant les lambins.

À force de pomper, Michel ne sentait plus ses bras.

– Ne t'arrête pas, gamin, lui disait Jean en riant, tu vas devenir aussi fort qu'Hercule !

Le pauvre gosse, qui n'était pas costaud, commençait à voir Antoine trouble. Il se sentait défaillir mais, ce jour-là, sa volonté fut la plus forte. Il tint le coup jusqu'à la dernière morue de la marée. Quant à Antoine, souillé d'éclaboussures de chair et de giclures de sang, ses poignets et ses mains, attaqués par le sel et égratignés, étaient si douloureux qu'il se demandait à chaque morue s'il pourrait attraper la prochaine. Au prix de mille efforts, il en vit le bout. Il avait réussi à dominer son découragement. De toute façon, il n'y avait pas d'autre issue. Abandonner aurait été un aveu de faiblesse. Et la faiblesse n'avait pas droit de cité sur les Bancs. Quoi qu'il arrive, un mousse devait faire front, sans états d'âme. La moindre faille pouvait lui être fatale en compagnie de brutes souvent avinées et toujours prêtes à trouver un bouc émissaire pour se défouler.

Quand il avait énocté sa morue, Antoine la faisait glisser dans la cale, par une coulisse spéciale, vers Alfred le saleur. Alfred était sans aucun doute l'homme le plus important de la campagne. La conservation de la morue jusqu'au retour à Bordeaux dépendait de lui.

Il frottait la morue de sel suivant un dosage dont il avait le secret, puis il l'arrimait en pile dans une sorte de sillon creusé, il disait « curé », dans le sel par l'équipage. Plus la campagne avançait et plus les sillons se multipliaient, remplissant ainsi l'essentiel de la cale.

Pendant qu'Antoine et les autres travaillaient la morue, les dorissiers démêlaient leurs lignes embrouillées sur des milliers de mètres de longueur. Il leur fallait beaucoup de patience, surtout quand un paquet de mer embarquant par-dessus la lisse remettait tout en question et envoyait promener les filins en travers du pont pour en faire de véritables paquets de ronces. À moitié courbés sur leurs mannes, embarrassés dans leurs cirés, les doigts rendus gourds par le froid et l'humidité de leurs mitaines imbibées de sel, ils n'avaient rien à envier à ceux qui travaillaient la morue. L'avenir de leurs mains était écrit. Après quelques marées, elles seraient traversées de crevasses et couvertes de gerçures ou de plaies infectées.

« Croche. » Le Hideux lança sa formule magique dès que les lignes furent démêlées et les hameçons en place. Tous les dorissiers reprirent la mer avant la tombée de la nuit pour un nouveau tentis*, qu'ils iraient relever le lendemain à la première heure. À leur retour, la nuit avait déjà enveloppé l'océan.

Au premier jour de campagne, ils plaisantaient encore pendant le souper, sachant que ça ne durerait pas et que bientôt, comme Antoine ce premier soir, à la limite de leurs forces, ils s'écrouleraient endormis avant même d'avoir ramené leurs couvertures sur eux et rentré leurs jambes à l'intérieur de la planche à roulis.

Quand Antoine se coucha dans sa cabane, la fatigue lui laissa juste le temps d'embrasser son médaillon et d'évoquer un instant le visage de sa mère. Son sommeil ressembla à un anéantissement.

Jour après jour, fatigue sur fatigue, Antoine découvrit les réalités de la vie sur la mer grise et sale des Bancs. Une vie solitaire, secouée par le vent inlassable de la nostalgie et ponctuée de rares échanges avec Michel, son compagnon d'infortune, et de quelques caresses à Yack, le chien devenu son ami.

Sur les Bancs, des images grises et noires, de bruit et de fureur ou d'une incurable tristesse, avaient succédé aux poétiques rêveries des bords de la Garonne. La mer et l'eau, qu'il avait trouvées si intelligentes et si vivantes quelques semaines plus tôt, n'évoquaient aujourd'hui que la mort. Qu'un dorissier ait amarré aux haubans sa combinaison, il y voyait un corps mutilé ; les barbes hirsutes des hommes d'équipage engoncés dans des suroîts de forbans, leurs coutelas allant et venant à une vitesse vertigineuse, étaient ceux de pirates qui ne feraient pas de quartier.

Sur le pont, carnage, abattoir, et assassinat. Les matelots pataugeaient dans les poissons visqueux, toutes ces morues étripées et aplaties, monceau d'agonie qui lui éclaboussait le visage en arrivant dans la baille. Ils répétaient :

– L'œuvre de mort est en marche.

Et cette fièvre des hommes, l'opulence sanglante de leurs gestes, lui donnait des frissons : les ventres que l'on déchire, les intestins qui s'étalent sur le pont, les têtes qui sautent et valsent par-dessus bord, les couteaux qui crissent sur les arêtes, déchets et sang partout... Que de fois maîtrisa-t-il juste à temps un haut-le-cœur ! Partout, des cirés et des cordages englués par les éclaboussures de graisse et de sang, une eau roussâtre autour de l'*Arbonnaise* : un spectacle macabre qui choquait sa sensibilité d'enfant respectueux de la nature.

La mort et la cruauté régnaient dans chacune des activités du bord, jusque dans les jeux. Les novices

« crochaient » des oiseaux avec des hameçons engainés de foie de morue, avant de leur faire subir les pires supplices. Quand l'un de ces prisonniers arrivait sur le pont, chacun y allait de sa trouvaille. C'était à qui serait le plus barbare :

– Fourre-lui du carbure dans la gueule, et envoie-le boire un coup pour l'engraisser à crever.

La pauvre bête était jetée à l'eau, la gorge remplie de cette infernale pâtée. Elle s'empressait de plonger pour se libérer de cette torture mais, au contact de l'eau, le carbure se dilatait et gonflait le ventre de l'oiseau qui en crevait.

Yves, le dorissier, avait une prédilection pour ce supplice. Il fallait partager son hilarité, faute de quoi il se mettait en colère. Il forçait Antoine à rire en le brutalisant. Mais le mousse partait en courant se cacher derrière les mannes pour pleurer, dès que l'autre l'avait relâché.

Régis, lui, préférait la « planche ». Sachant que les mouettes et les margats* planent très haut, il faisait flotter dans la mer une planche hérissée de clous, un hareng posé dessus, bien en évidence. Les oiseaux repéraient aussitôt le hareng et fonçaient sur lui à toute vitesse. Au lieu de s'enfoncer dans l'eau avec leur proie dans le bec, ils se clouaient sur la planche.

Les terre-neuvas déclinaient ainsi, aux rares moments de repos, toute une gamme de « jeux » plus cruels les uns que les autres.

28 avril
Ce qu'ils font aux oiseaux, pourquoi ne me le feraient-ils pas à moi ou à Michel ?

Chapitre 11

Michel disait avoir quatorze ans mais son visage d'enfant en affichait tout juste douze. Antoine le voyait faiblir de jour en jour. Dans la baille, il pompait l'eau sur un rythme irrégulier, s'arrêtant toujours plus souvent pour se dégourdir les doigts et les frapper sur son torse. Des quintes de toux lui déformaient le visage. Le soir, dans sa cabane, mitoyenne de celle d'Antoine, la douleur lui arrachait des râles effrayants. Malgré tous ses efforts pour ne pas faire de bruit, il ne parvenait pas à retenir sa toux. Excédés par cette gêne qui perturbait leur précieux sommeil, les dorissiers avaient envoyé Yves mettre un terme « au bruit infernal de ce gosse souffreteux ».

Une nuit, ayant avalé plus de boujarons* de gnôle qu'à l'accoutumée, il s'était levé dans un état proche de l'hystérie et avait tenté d'étouffer le petit Michel.

Le mousse n'avait dû la vie sauve qu'aux cris d'effroi lancés par Antoine.

Pour éviter qu'un tel drame ne se reproduise, Le Garrec, le second, avait installé Michel dans la cale, afin qu'il soit seul et ne gêne plus personne.

Antoine, appréciant la force morale de ce garçon résigné qui ne se plaignait jamais de son sort, allait le voir tous les soirs dans son refuge de la cale. Ils se parlaient peu tant Michel était épuisé, mais le fait d'être ensemble leur donnait du courage.

Un soir, Antoine, affolé, fit irruption dans le carré au moment où le patron et son second, assis autour de la table, attendaient leur souper.

– Capitaine, capitaine, criait-il, Michel va mourir, il faut faire quelque chose.

Le visage sévère de Le Hideux prit une expression inattendue, presque paternelle. Accompagné de Le Garrec, il se précipita vers la cale.

Dès qu'il vit le nez mince de Michel se pincer aux ailes, la sueur froide perler sur son front cireux, son visage gris comme la mer, il comprit le triste devoir auquel il lui faudrait faire face. À cet instant, sur les Bancs, le capitaine se départit de sa froideur pour redevenir humain.

– Où as-tu mal, petit ? demanda-t-il à Michel en s'approchant de son visage ruisselant et glacé.

Dans un premier temps, Michel ne répondit pas, puis il se souleva brusquement sur sa couchette, en plein délire :

– Je veux revenir chez nous, dit-il en regardant droit devant lui, je veux revenir à la maison, je veux aller voir maman qui a besoin de moi.

Le commandant se retourna vers son second en signe d'impuissance.

– Parlez-lui, fit doucement Antoine, dites-lui que vous êtes sa maman.

Effrayé de sa propre audace et craignant de se faire remettre vertement à sa place, il osa cependant insister.

Le commandant prit alors Michel dans ses bras :

– C'est ta maman qui est là, petit, dit-il. Nous partirons demain, aujourd'hui, c'est trop tard. Dors, dors jusqu'à demain.

Dans son délire, Michel crut entendre sa mère et se mit à pleurer de bonheur. Son visage maintenant détendu esquissait un sourire. Le Hideux, Le Garrec et Antoine, qui l'entouraient, ne purent retenir leurs larmes.

– Ne pleure pas, lui répétait le commandant, ne pleure pas, tu me fais de la peine...

Michel mourut le lendemain, au petit matin, quand Le Hideux cria « Croche » aux dorissiers. Antoine lui tenait la main et pleurait en silence.

Le ciel chargé de ce triste matin et la houle plus courte annonçaient de mauvais jours. Le capitaine ordonna aux « restés à bord » que l'on habille Michel avant de le lier sur une planche lestée d'une grosse gueuse. Puis il sortit sa bible de sa poche et récita quelques prières, tandis que des matelots, aidés d'Antoine, engageaient la planche sur la lisse. Comme le veut la liturgie maritime, tous les hommes présents à bord se rassemblèrent pour lui donner la dernière poussée. Le corps du malheureux bascula droit dans les flots glacés de Terre-Neuve. Antoine se pencha sur la lisse et le regarda disparaître dans l'écume. La mort venait de lui prendre le seul ami humain que lui avait autorisé ce monde hostile. Il enfouit sa tête dans le cou de Yack pour pleurer.

Le lendemain de ce drame, le temps se dégrada. Le Hideux était d'une humeur massacrante.

La mort de Michel avait-elle provoqué en lui un choc dont il peinait à se remettre ? Avait-elle ravivé des souvenirs, des épisodes douloureux de sa vie passée ? Toujours est-il que, dès les premiers jours de mai, la vie sur l'*Arbonnaise* devint intenable.

Le capitaine avait décidé que la morue donnait et qu'il fallait aller la prendre là où elle était, quel que soit le temps. Il ne se préoccupait ni du baromètre, ni de l'horizon avant de hurler d'une voix sauvage aux dorissiers : « Croche ». Après cinq jours de ce manège sur une mer démontée, qui faisait courir des risques graves aux ligueurs, Le Garrec tenta de raisonner Le Hideux. Le baromètre avait encore chuté. Mettre les doris à la mer dans ces conditions était pure folie.

– Croche, hurla Le Hideux en guise de réponse, la morue n'aime pas les fainéants.

Cette fois, les hommes se mirent à gronder des insultes. Le Hideux entra dans une fureur effroyable :

– Puisque vous ne voulez pas recevoir les ordres de la voix de votre chef, je vais vous les transmettre par celle de mon chien !

Il criait l'écume aux lèvres, couvrant de sa voix forte le fracas des vagues sur la coque du navire. Antoine, qui s'était accroché à un hauban pour rester debout malgré la houle, s'aperçut que les mains du capitaine tremblaient.

Le Garrec, seul à vraiment connaître Le Hideux, conseilla aux dorissiers d'exécuter les ordres.

– Gardez l'œil sur nous, leur dit-il, et ralliez-nous dès que vous voyez le pavillon en berne.

Les hommes obéirent.

Une heure plus tard, le baromètre enregistra encore une chute verticale et la brise soufflait de plus en plus fort : tous ces signes annonçaient le gros coup de vent. Sans attendre que son second le lui demande, Le Hideux fit mettre aussitôt le pavillon en berne.

Sous un ciel livide, face à une mer convulsée, dans le mugissement infernal du vent, les hommes du bord, malmenés par la tempête mirent en place au plus vite les dispositifs de gros temps. L'anxiété se lisait sur leurs visages. Il devenait urgent de remonter le mouillage, car c'eût été de la folie de rester à l'ancre dans de telles conditions. L'*Arbonnaise* se débattait avec violence au bout de son énorme câble. Quant aux doris partis une heure plus tôt, ils n'étaient plus que de minuscules coques de bois au loin, perdues au milieu des éléments déchaînés.

Les dorissiers, animés par l'instinct de conservation, tiraient avec une force titanesque sur leurs avirons pour rejoindre l'*Arbonnaise* avant qu'il ne soit trop tard. Poussés par le vent, les embruns venaient gifler le visage des marins et remplissaient leurs embarcations, les obligeant à écoper sans cesse. Tous maudissaient ce « chien » de capitaine de les avoir obligés à prendre la mer dans des conditions aussi mauvaises.

Antoine, tremblant de peur, essaya de se rendre utile. Flagellé par les paquets de mer glaciale qui déferlaient sur le pont, Le Hideux, debout sur le gaillard d'arrière, scrutait le large à la recherche des doris. Son visage torturé trahissait l'angoisse qui venait de le saisir. Tantôt prêt à en faire son deuil, quand il voyait les doris plonger dans le creux béant des vagues : « Malheur, ils sont foutus », tantôt reprenant espoir, quand ils revenaient sur la crête d'écume : « Tenez bon, les gars ! Hardi dessus ! », il criait à s'en faire exploser les poumons. Mais personne ne l'entendait. Les hurlements de la mer et le sifflement aigu des rafales étouffaient sa voix.

À côté de lui, agrippé au roof de la cuisine, Le Garrec ruminait sa colère. « Michel ne lui a pas suffi. Il lui faut d'autres victimes. Ce type est devenu fou. Cette fois, je le jure, c'est ma dernière campagne avec lui. »

La mer, furieuse, s'attaquait à l'*Arbonnaise,* devenue maintenant un danger pour les doris qui tentaient de s'en approcher. La violence des vagues risquait à tout moment de les envoyer se fracasser contre la coque du navire.

Le Garrec ordonna à tous les hommes du bord, y compris Antoine, de se munir de bouées, de gaffes et de filins. Lui-même empoigna un rouleau de cordages dont il fit un énorme lasso. Penchés sur la lisse, l'angoisse au ventre et les yeux braqués sur les doris qui approchaient, tous attendaient. La vie de leurs camarades était désormais entre leurs mains ; elle dépendait de leur adresse et de leur rapidité.

Accroché à sa bouée, Antoine ne s'était jamais senti autant de responsabilités entre les mains. Scrutant la mer démontée à la recherche des dorissiers, il éprouva même un sentiment de supériorité. Une seconde, il pensa : « Et si je tenais ma vengeance ? » Mais il chassa aussitôt cette idée.

Un éclair fracassant l'arracha à ses pensées. Une pluie glaciale s'abattait sur le pont avec la force du déluge ; une pluie si intense qu'Antoine crut se retrouver dans la baille aux morues. Le vent gémissait dans les haubans, il avait peine à respirer.

– Doris en vue ! hurla Le Garrec.

Antoine se redressa et aperçut deux hommes. Il ne pouvait distinguer clairement les visages, mais l'un des deux marins tirait sur les avirons comme un galérien, avec l'énergie du désespoir. Quand ils furent à proximité de l'*Arbonnaise*, Le Garrec lança son lasso de toutes ses forces : la corde s'enroula autour du tronc du rameur. « Bien envoyé », pensa Antoine, admiratif.

Le marin saisit à pleine main le câble et se laissa amener le long du bord, tandis que les hommes, penchés sur la lisse, à l'aide de leurs gaffes, maintenaient le doris à distance pour qu'il ne s'écrase pas sur la coque. L'autre marin – Antoine reconnut Jean-Yves, l'un des bons dorissiers de l'*Arbonnaise* – passa rapidement les crocs aux extrémités de son doris pour l'embarquement à bord. Ces deux-là étaient saufs.

Le jeune rameur, Yvon, écroulé maintenant comme une chiffe mouillée sur le pont, ne trouva pas la force de lever la main vers le boujaron de gnôle que lui tendait Antoine. Dans ses yeux, la terreur se lisait. Antoine le força à boire, en lui tenant la tête de sa main gauche, comme il le put. Le Hideux les regarda sans dire un mot.

Dès qu'il eut retrouvé des forces, Yvon rejoignit les hommes à la lisse pour les aider à récupérer les dorissiers manquants. Antoine courut à son poste.

– Décolle, mais décolle donc, criait Le Garrec, amène, amène doucement.

La manœuvre se renouvela dix fois, sans pouvoir éviter que des hommes ne tombent à la mer. Elle arracha deux hommes à leur doris au moment où on les remontait à bord. Antoine, qui s'était perché dans les haubans sur ordre de Le Garrec, reconnut Yves et Yann, en perdition. Quelques minutes suffiraient pour qu'ils coulent et qu'on ne les revoie plus jamais.

Que faire ? Il fallait aller chercher Yack, le terre-neuve. C'était devenu son meilleur ami depuis la disparition de Michel. Le Garrec l'avait consigné dans le poste à l'annonce du coup de vent. Bondir sur le pont, de là dans le poste, attraper le chien par son collier et l'amener sur le pont, cela ne prit que quelques secondes à Antoine, malgré le fort roulis.

Il fallait tenter cette chance. Il saurait que des marins avaient été sauvés par des chiens, dans des conditions semblables. Il montra à l'animal les deux hommes qui se débattaient dans l'eau glacée :

– Vas-y, Yack, vas-y, amène.

Après une courte hésitation, le chien sauta dans les flots et ramena Yann, puis Yves, aussi transis par la peur que par le froid. Antoine lui-même, aidé d'Yvon, remonta le chien à bord avec un lasso. Il le serra contre lui. Le regard d'Yves, dans son visage défait, blême, croisa celui d'Antoine. Ils se regardè-rent sans rien dire. Chacun savait à quoi s'en tenir.

Il manquait encore trois doris au rendez-vous.

– Second, s'écria l'un des hommes qui scrutait l'horizon, là, à deux cents mètres sur tribord, un doris en perdition...

Deux hommes tiraient sur leurs avirons avec fré-nésie. Le Garrec donna ordre que l'on filât un doris sur une corde jusqu'aux matelots, qui s'y agrippèrent aussitôt. Du bord, les hommes commencèrent à tirer ce convoi de fortune, mais le filin cassa à quinze mètres de l'*Arbonnaise*. Les deux hommes reprirent frénétiquement leurs avirons, et arrivèrent enfin tout près du navire. Au moment où l'équipage s'apprêtait à les embarquer, une montagne d'eau s'abattit sur le trois-mâts.

– Sauve qui peut ! hurla Le Garrec.

Chacun s'agrippa à ce qu'il put. Antoine crut encore une fois sa dernière heure venue. Il emprisonna le chien entre ses bras, s'accrocha solidement aux haubans. Il vit le doris décrire une parabole étonnante, passer par-dessus le bord du navire et se casser en deux sur la lisse.

Personne ne refaisait surface. Les secondes paraissaient des siècles. Puis Antoine distingua un homme, une plaie béante au front, à demi inconscient, nageant dans la direction opposée à l'*Arbonnaise*.

– En voila un ! hurla-t-il de toutes ses forces en tendant le bras dans sa direction.

Mais Le Garrec avait été plus prompt encore : d'un coup de gaffe, il rattrapa le matelot ; deux hommes l'empoignèrent rapidement par le cou et le jetèrent par-dessus bord. Il était en piteux état, mais sauvé. Il s'inquiéta de Vincent, son compagnon, avant de perdre conscience.

Tout le monde croyait Vincent perdu, lorsque quelqu'un entendit un appel au secours presque imperceptible. Miraculeusement accroché au tangon de tribord par son ciré, c'était lui. Quand le navire s'inclinait sur bâbord, Vincent criait :

– Au secours.

Quand il s'inclinait sur tribord, le malheureux plongeait dans l'eau glacée et buvait la tasse. Lui aussi fut sauvé.

Mais deux doris ne revinrent jamais, faisant quatre péris en mer, quatre veuves et dix orphelins.

– C'est ta faute ! crièrent tous les hommes encore valides à l'adresse du capitaine, qui partit se réfugier dans sa cabine.

– C'est toi qui les as tués. Il faudra que tu rendes des comptes.

L'*Arbonnaise* était au bord de la mutinerie quand surgit Iannick avec les yeux de la démence.

– Je viens de couper le câble de mouillage, lança-t-il dans un rire de fou. J'accorde à l'*Arbonnaise* et à tout l'équipage quinze jours de permission pour aller à Saint-Pierre-et-Miquelon chercher un autre câble !

Il sauta dans les eaux et ne refit jamais surface. Antoine se souvint des cris de désespoir que Iannick avait lancés au départ de Bordeaux. L'Amiral avait mis fin à son calvaire. À bord, l'enfer continuait.

La mer finit par retrouver son calme et la morue sa voracité. Le Hideux tira un trait sur les événements récents, et décida d'appliquer à nouveau sa maxime à la lettre : « La morue donne, marche ou crève ».

Avec la même folie rapace et amnésique, les dorissiers réduisirent encore leur temps de repos pour emplir leurs embarcations du précieux butin. Ils dormaient à peine trois heures, sans quitter leurs cirés et leurs bottes, le temps que la morue morde aux hameçons, et repartaient alors que la nuit n'avait pas encore fait place au jour. Les doris faisaient trois à quatre tournées avant d'avoir pu lever les lignes et ramener à bord tout le poisson pris dans la nuit. Une fièvre de chercheurs d'or s'était emparée de tous les pêcheurs.

En quatre jours, les doris ramenèrent près d'une tonne de morues chacun. Leur frénésie empêchait les hommes de sentir la fatigue et la faim. Ils tenaient à coup de boujarons d'eau-de-vie distribués avec largesse par Le Hideux. Ce remontant ranimait leurs forces faiblissantes et leur tenait lieu de nourriture. Ils ne prenaient que le temps d'absorber quelques biscuits en hâte, sur le pont, pour interrompre leur travail le moins longtemps possible.

À bord, c'était le bagne. Obligés de suivre ce rythme infernal, le trancheur, l'ébrayeur, le décolleur et Antoine, le malheureux énocteur, n'avaient plus assez de leurs deux mains.

— La morue donne, marche ou crève, répétait Le Hideux en les surveillant avec un sourire cruel.

Enseveli jusqu'aux aisselles dans la morue raidie par le froid, la figure fouettée par le vent, les mains et les doigts crevassés, gonflés et tuméfiés par d'horribles engelures, le tour des poignets dévoré par les

« petits choux des Bancs[1] », Antoine devait fournir cinq cents morues à l'heure à Alfred, le saleur. Il passa ainsi quatre horribles journées. Dix-sept heures durant, y compris les repas, il devait manier des morues pesant jusqu'à quinze kilos. Réduit à l'état d'automate, il ne pensait plus, ne sentait plus rien. Même pas la « cravache des Bancs », quand Le Hideux le frappa en pleine figure avec une morue parce qu'il faisait attendre le saleur.

Profondément abattu, engourdi par la fatigue et dévoré par le chagrin, incapable d'une pensée d'espoir, Antoine revoyait l'histoire de sa famille, et la sienne propre. Les mots de malédiction et de mauvais sort lui venaient à l'esprit. Et s'installait la certitude que tout était écrit. Antoine ne connaissait pas le mot fatalité, mais il venait d'en comprendre la substance.

Il profita d'une marée d'aornie*, quand la brume empêche les doris de pêcher, pour revenir à son petit carnet :

Je comprends mieux André maintenant. Il avait raison. Il n'y a pas pire métier que le nôtre. Personne, aucun ouvrier ne travaille quinze à seize heures par jour sans dimanche. Cette année je ne verrai ni le printemps ni les feuilles dans les arbres.

---

1. Espèce de verrues provoquées par le frottement des cirés.

Aucun ouvrier, même à la sécherie de Varet, ne souffre comme ici. On est réduits à l'état de bête, sans sommeil, sans manger à notre faim, sans nouvelles de notre famille.

Le lendemain, aux premières heures du jour, le « Croche » du Hideux retentit de nouveau. Plus question de traîner sur le pont, de jouer à la coinchée ou de « pêcher » les mouettes et les margats. La morue donne...

Le 13 mai 1846, l'*Arbonnaise* accosta à Saint-Pierre-et-Miquelon pour y faire relâche pendant quelques jours. Antoine posta la lettre qu'il avait écrite à sa mère la veille, et trouva celle qu'elle avait dictée à Salaberry quelques semaines plus tôt. Avant même de l'ouvrir, il ne put retenir ses larmes. Il redevenait enfant. « Ma petite mère, comme tu me manques », se dit-il, en déchirant l'enveloppe de ses doigts rongés par le sel.

Mon cher petit,
Depuis que tu nous as quittés pour la grande pêche, la maison n'est plus la même. Ici, tout a l'air triste sans toi. On dirait que les arbres de la Caminasse n'ont plus la même couleur. Tu nous manques. Tes frères et sœurs demandent souvent de tes nouvelles, surtout Catherine qui est devenue maintenant

une jeune fille. Ils savent que tu vas nous revenir en octobre et t'attendent, comme moi, avec impatience.

Ton père refait des affaires avec Soubiran, des boulons pour le chemin de fer, ça m'inquiète. Je n'ai jamais aimé ce type. Avec son fichu caractère et l'influence des cheminots venus de l'Est qui disent n'avoir ni Dieu ni maître, ton père a fini par perdre son travail chez Bazeille, ça devait arriver ! Il n'a plus que ses boulons pour gagner un peu d'argent, mais je trouve qu'il en dépense trop avec ces gars de l'Est, au bistrot de Vidalenc.

Rassure-toi, mon chéri, je ne gaspille pas l'avance qu'on m'a laissée à ton départ. Tu me connais, un sou est un sou. Pour ça, je suis bien comme ta pauvre grand-mère qui a travaillé toute sa vie à s'en user les mains. Je fais toujours de la lessive pour le château et M. Salaberry, qui est si gentil avec moi (c'est lui qui s'est proposé pour t'écrire ma lettre), m'a engagée pour entretenir sa maison.

Les beaux jours sont revenus à Bègles, ta Garonne est toujours là, plus belle que jamais. Cette année, le printemps a de l'avance. Les gens qui ont des arbres fruitiers craignent la gelée. Les arbres de Judée sont en fleur, les tulipes foncent et les camélias sont déjà passés, il a fait trop chaud pour eux.

Quand tu reviendras, ce sera presque l'hiver, qui sait ce que nous serons devenus ? D'après M. Salaberry, qui me parle souvent de la grande pêche, la vie sur ces bateaux doit être bien difficile. Je m'en doutais quand je t'ai vu partir. Fais atten-

166

tion à toi, mon chéri, la mer est dangereuse et les
hommes ne sont pas tous bons comme M. Salaberry.
 Il ne se passe pas une journée sans que je pense à
toi, mon Antoine, je suis inquiète de te savoir si loin.
Reviens-nous vite.
 Ta maman qui t'aime.
 À Bègles, ce 27 avril 1846.

Antoine plia délicatement la lettre de sa mère, l'enfonça dans sa poche et se mit aussitôt en quête d'André, son seul ami, disparu.

Depuis qu'André était parti pour la grande pêche, en 1843, sans jamais revenir, Antoine n'avait pu se résoudre à croire le pire. Plusieurs histoires circulaient au sujet de cette disparition, des versions plus ou moins fantaisistes, ou vraisemblables. La seule chose dont on fût certain, c'est que le *Louise-Emmanuel* avait fait naufrage en juillet 1843, au large de Terre-Neuve. André avait-il survécu ? Faisait-il partie des victimes englouties par les eaux ?

Les parents Bellard parlaient encore de leur fils comme s'il avait été vivant, aux Amériques. En réalité, ils ne savaient rien. Chacun comprenait que ce n'était là qu'une manière pudique de dissimuler leur chagrin. Au fond, ils s'étaient faits à l'idée qu'André ne reviendrait plus. À preuve, sa mère portait le deuil depuis la fin 1843.

Quand il avait appris la terrible nouvelle, alors qu'il venait d'être embauché à la sécherie, Antoine s'était aussitôt renseigné sur les noms des victimes identifiées. André n'en faisait pas partie. Il était « porté disparu ». Antoine ne voulut pas croire que son ami eût disparu pour toujours.

À Saint-Pierre-et-Miquelon, il commença son enquête auprès des « graviers », ceux qui passaient plusieurs mois chaque année sur l'archipel pour sécher les morues sur les grèves. Il en apprit plus par eux qu'à Bègles. Ils étaient au courant du naufrage du *Louise-Emmanuel*. Après plus de trente jours de mer, elle avait heurté une « glace » à fleur d'eau, que l'homme de veille n'avait pas vue à temps pour la signaler. Une voie d'eau importante s'étant déclarée sur l'avant, et une autre sous la coque, à la hauteur de la cale, le capitaine avait alors ordonné le sauve-qui-peut général. Certains membres de l'équipage avaient réussi à grimper dans leurs embarcations, mais d'autres s'étaient jetés à l'eau, dans un geste fou. Ils n'avaient pas survécu plus de quelques minutes dans l'eau glacée.

Tout s'était passé si vite, et de façon si atroce, que les survivants qui avaient été repêchés, au terme de souffrances inhumaines, n'avaient pu donner aucune précision sur ce drame, sinon que d'autres doris, poussés par le vent et les courants, avaient peut-être réussi à s'en sortir.

– Ils étaient mourants, des vrais cadavres. Ce n'était pas tant la faim ou le froid que la soif. Des-séchés comme des morues qu'ils étaient, quand on les a retrouvés. Un, il était fou. La mer, c'est comme ça, conclut avec philosophie le témoin. C'est des choses qui arrivent. Tiens, le Gabriel, il a passé deux semaines sur son doris, après le naufrage de la *Vaillante*. Demande-lui quel effet ça fait, de voir les autres crever les uns après les autres, de lécher la rosée sur le plat-bord à l'aube.

Antoine, bouleversé, ne voulait pas s'attarder sur ces rapports macabres. Il s'apprêta à partir, quand l'un des trois hommes le rattrapa par son suroît :

— Arrête avec tes histoires. Il s'en fout le môme, du Gabriel. Il faut qu'il aille voir Moillon, ce type de Cancale, qui était sur le *Louise-Emmanuel*. Il lui en dira peut-être plus sur son pote. Où qu'il crèche, déjà, Moillon ?

— J'en sais rien, mais t'as raison, reprit le premier. Qu'il demande à la grosse Catherine, la patronne qu'est à l'angle du port. Ils ont pas eu une histoire, tous les deux ? (Il se tourna vers Antoine.) Va la voir de ma part, dis-lui que c'est le grand Fernand qui t'envoie. Tu lui racontes ton histoire, elle te le retrouve en moins de deux.

Antoine n'eut pas à aller loin : Moillon s'était mis en ménage avec la Catherine. Il se souvenait parfaitement d'André, « le gars de Bègles ». Il l'avait aperçu pour la dernière fois entre deux déferlantes, faisant route à l'ouest, vers les côtes du Canada, à l'aviron, dans un doris où se trouvaient aussi le mousse saleur et deux autres matelots.

— On ne les a jamais revus, s'était-il contenté de dire.

Loin de décourager Antoine, ce témoignage le conforta dans son espérance. Il parlait de Bellard et du *Louise-Emmanuel* à tous ceux qui l'écoutaient, dans l'espoir d'en apprendre davantage. Aucune piste ne devait être négligée. Il sentit qu'il brûlait quand ce gravier de Saint-Malo lui confia, calmement :

– Tu sais, matelot, il y a beaucoup de contrebandiers dans les parages. Ton Bellard, il est peut-être bien avec eux, aujourd'hui. Ils ne te le diront jamais. Chez ces gens-là, on préfère se faire pendre que de parler.

Ça ne faisait plus aucun doute. André était vivant, et ils se retrouveraient.

Chapitre 12

Soubiran descendit de sa voiture et attacha sa mule à la petite barrière de bois qui marquait l'entrée de chez les Graveille. Comme si rien ne s'était passé entre lui et Abel, il s'assit dans la cuisine, qu'il inspecta d'un regard circulaire, vérifiant que rien n'avait changé, puis il sortit de sa sacoche un long boulon à tête carrée, légèrement amincie vers le haut, qu'il fit sauter dans sa paume.

Abel attendit que son visiteur parlât le premier.

— Serais-tu capable de fabriquer une bricole comme ça, Graveille ? demanda Soubiran.

Abel soupesa l'échantillon et l'examina en connaisseur. Soubiran continua :

— Si tu me fais le même, je t'en donne un sou par pièce. De quoi gagner ta vie.

Il reprit le boulon des mains d'Abel.

— J'ai l'impression que ma proposition tombe à pic, fit-il d'un air entendu, on me dit que tu t'es chamaillé avec le père Bazeille pour des histoires de politique.

— Ça vous regarde ?

— Je connais tes idées, Graveille, tu sais ce que j'en pense mais, pour moi, tu restes un bon ouvrier... à condition de courir un peu moins après les jupons de ces dames et de passer moins de temps avec tes types de l'Est chez Vidalenc !

— La ferme, répliqua Abel en se raidissant. Vous les voulez vos boulons, oui ou non ?

Soubiran laissa passer : il connaissait Abel, emporté mais intelligent. Il était tombé juste :

— À quoi ils doivent servir, vos boulons ? demanda Abel.

Soubiran ajusta ses lorgnons.

— C'est pour tenir des rails. On visse ça dans les traverses. Il faut que ça soit façonné au plus juste, parce qu'on se sert d'une clef pour les visser et les dévisser.

— Mais c'est pas facile à forger, ce truc-là !

— Je ne t'en donnerais pas un sou la pièce si c'était facile, reprit Soubiran, qui rendit le boulon à Abel.

Celui-ci l'observa sous tous ses angles.

— Et vous m'en donneriez beaucoup à faire ?

— Mille pour le premier coup, répondit Soubiran, et davantage si tu t'y prends bien. Les chemins de fer du Midi ne s'arrêteront pas à la ligne Bordeaux-La Teste, bientôt il y aura une ligne Bordeaux-Toulouse, elle passera par Bègles... Ce n'est que le début... Alors, qu'en dis-tu ?

Intéressé, mais méfiant, Abel réfléchit une bonne minute avant de donner sa réponse. Soubiran, impatient, tirait sur sa pipe.

— Bon, je vais essayer, laissa tomber Abel.

Soubiran se détendit, un large sourire s'épanouit sur son visage. Il tapa amicalement sur l'épaule d'Abel :

— Je savais qu'on allait s'entendre. Tu auras ton fer dans trois jours.

Abel caressait depuis longtemps l'idée de travailler à son compte. La proposition de Soubiran lui offrait l'occasion de devenir son propre patron, de n'avoir plus de comptes à rendre à personne, sinon à ses commanditaires, avec qui il traiterait sur un pied d'égalité. Mais Abel était aussi un idéaliste, généreux, sincère dans ses convictions sociales et politiques, et prêt à prendre des risques pour les mettre en œuvre. On parlait beaucoup dans les milieux progressistes d'une structure industrielle coopérative. Le premier à lui en avoir parlé avait été Mazières, à Créon. Depuis, l'idée avait fait son chemin, et il en discutait quelquefois avec les gars de l'Est venus travailler aux chemins de fer du Midi. Si on pouvait prouver aux patrons qu'on n'avait pas besoin d'eux ! On partagerait le fruit du travail des ouvriers entre eux : quel triomphe ! Quelle révolution !

Sur la forge de Mouneydières, l'ancien maréchal-ferrant de la Raze, auquel il avait rendu quelques services, il fit ses essais pendant plusieurs jours. Sans résultat. Il perdait courage lorsque lui vint l'idée de mouler les boulons.

Quand Soubiran vint aux nouvelles, Abel lui présenta fièrement sa trouvaille.

– Félicitations, dit le commerçant étonné par la prouesse, c'est du beau travail.

Il ne put toutefois s'empêcher de marchander, évoquant les conditions intéressantes que lui feraient les gens de Cadaujac. Abel s'emporta :

– C'est pas parce que leurs terres rapportent plus que les nôtres qu'ils doivent faire le même boulot que moi au rabais. De toute façon, aucun ne vous proposera des boulons d'aussi bonne qualité... Ces gens-là, ils sont meilleurs pour l'alose que pour la fonderie !

Soubiran finit par plier. Il savait qu'Abel avait raison.

Échauffé par son succès, exaspéré par Soubiran, Abel résolut ce jour-là de s'affranchir, coûte que coûte. Son projet n'avait rien de déraisonnable : pendant dix ans, au moins, on allait construire des voies ferrées ; des centaines de tonnes de ferraille seraient utilisées. Avec l'avance technique qu'il venait de prendre, tous les espoirs étaient permis.

Sa coopérative, il l'appellerait « L'Atelier sociétaire ». Chacun des ouvriers coopérerait à la mise de fonds et, à la fin de l'année, une fois les comptes clôturés, les bénéfices seraient répartis entre tous, à parts égales. « Chacun pour soi » laisserait la place à « L'un pour l'autre ».

Louise ne vit pas ce projet d'un œil favorable. Elle connaissait trop son compagnon, ses flambées d'enthousiasme, ses prompts découragements. Inventif, intelligent, il n'avait pas l'étoffe d'un homme d'affaires : il se ferait dévorer. Que le projet fût beau et généreux la laissait de marbre : mère de famille, elle n'admettait pas que son mari prît des risques.

– Dans quel pétrin tu es encore allé te fourrer, mon pauvre Abel, gémit-elle, tu crois qu'on n'a pas assez de soucis comme ça ?

Elle voulut tout de même en savoir plus. En femme avisée, elle avait compris qu'il y aurait des associés. La réponse qu'Abel lui fit acheva de la convaincre qu'il n'y avait rien à espérer :

– Je suis allé à Créon.

Abel marchait sur des œufs :

– J'en ai parlé à Mazières. Il est intéressé...

– Mazières ? Ce bonnet rouge ? Ce mécréant ? Il n'en est pas question.

Le coup était rude pour Louise. Son mari dissimulait donc encore plus qu'elle ne le supposait. Il revoyait Mazières en secret, et peut-être sa femme, cette « Parisienne » dévergondée. Était-ce Mazières qui avait poussé Abel à se fâcher avec Bazeille ?

Elle haïssait l'ami de son mari : il avait encouragé Abel à boire, lui avait fourré des mauvaises idées dans la tête, et sapait la confiance qu'Abel avait eue en elle. Que faisait-il avec une bigote pareille ? lui répétait-il sans cesse. Une association avec Mazières signifiait le pire. Abel était influençable. Loin de Mazières, elle aurait pu espérer le remettre sur la bonne voie, avec un peu de ruse, de patience, de savoir-faire et d'amour. Il était indépendant, têtu peut-être, mais pas révolutionnaire ! « C'est ce Mazières qui le rend fou ! »

Elle ne supportait pas ce personnage suffisant, qui croyait tout savoir sur tout, coupait la parole à ses contradicteurs, parlait fort et faisait le maître d'école avec tout le monde. Pour elle, aucun doute, cet homme était dangereux. « Et c'est à ce type-là qu'Abel fait confiance ? » Elle n'en finissait pas de s'étonner qu'Abel, si fier, tolérât d'être rabroué par ce m'as-tu-vu.

Déçue plus que furieuse, elle se contenta d'ajouter :

– Vois-tu, Abel, je mettrais ma main au feu que Mazières tournera sa veste à la première occasion. Ton Mazières, quoi qu'il chante, il n'aime pas partager.

Abel, qui se contenait depuis que sa femme avait commencé le procès de son meilleur ami, explosa :

– Toi, à part tes enfants et TON Salaberry, je me demande bien qui tu aimes ! Tu voudrais que je me défonce à cogner les boulons de Soubiran et que

176

j'emprunte à ce grigou l'argent nécessaire pour la machine qu'il me faut, c'est ça ?

– Mais pourquoi es-tu allé rechercher ce Mazières de malheur ?

– Il s'y connaît. Il a de l'argent.

– Il n'est pas le seul. Pourquoi tu ne demandes pas à M. Salaberry ?

– Arrête avec ton Salaberry ! Il n'est pas question que je demande un sou à un patron. Je ne veux pas qu'on s'engraisse avec ma sueur, je ne veux pas qu'on me plume, je veux être mon maître et je le serai.

Un rire amer secoua la poitrine de Louise.

– Comment veux-tu faire avec cinq gosses. As-tu oublié qu'on a envoyé Antoine à la grande pêche pour joindre les deux bouts ? Moi, je te préviens, je ne suis pas Mme Mazières, je n'essuie pas les crachats des hommes soûls. À moi, on ne me pince pas les fesses comme à elle, dans leur bistrot infâme.

– Je t'interdis, tu m'entends ? Je t'interdis de parler sur ce ton de la femme de Mazières. Tout ça parce qu'elle est parisienne !

– Une échappée de maison, oui...

– Je ne te croyais pas si mauvaise.

– Une Marie-couche-toi-là, voilà ce que c'est TA Mazières. Si tu la défends comme ça, c'est sans doute que, toi aussi, tu y as goûté...

– Tu es devenue folle, ma pauvre. C'est la colère qui t'égare.

– Jure-moi que tu ne l'as jamais touchée !

– Amen ! fit Abel, sarcastique, en joignant les mains.

Il tapa sur la table :

– Vas-tu me foutre la paix avec tes bondieuseries, sacré nom de Dieu ? Tu ne vois donc pas que, si je veux réussir, je dois me mettre avec des camarades ? Des vrais, pas des sangsues !

La porte claqua derrière lui. Quelques minutes plus tard, il déboulait furieux chez Vidalenc, où il noya sa colère en compagnie de ses amis. Abandonnée une fois de plus, Louise pleurait.

Désormais, entre Abel et Louise, rien ne fut plus comme avant. Les blessures tues, les grandes et petites rancunes, les froissements quotidiens avaient fini par pénétrer leur cœur. Tout ce que l'on avait excusé, fait semblant de comprendre, ou refusé de voir en se disant : « Un jour tout s'arrangera », ces pardons que seul l'amour sait susciter faisaient surface, en bloc. L'espoir de réconciliation s'amenuisait de jour en jour.

Ni l'un ni l'autre n'entreprit plus de raccommoder le tissu déchiré. Chacun se renferma dans son mutisme. Ils ne s'attablaient plus l'un en face de l'autre et ne se parlaient plus qu'en prenant les enfants à témoin : « Demande à ton père quand il compte nous apporter de l'argent ! »

Louise connut des jours sombres. Le destin avait-il voulu qu'elle souffre autant que son Antoine ?

Chapitre 13

Louise se rapprocha de Salaberry. Il trouvait les mots justes, des mots qui l'apaisaient. Bien qu'il fût du côté des patrons, comme le répétait Abel, il ne leur ressemblait pas. Au cours de leurs conversations, elle en avait appris davantage sur lui. Très tôt, il avait embarqué pour la grande pêche, attiré par ce bout du monde mystérieux où ses grands-pères étaient partis chasser la baleine quelques décennies plus tôt. Après le naufrage de son navire sur les côtes du Groenland, dont il était resté l'un des rares survivants, il s'était installé sur l'île glacée avec une jeune Esquimaude. Là, il avait trouvé la paix de l'âme, et un nouvel art de vivre. Il ne serait jamais revenu sans cette terrible épidémie de typhus, amenée par les pêcheurs européens.

Les femmes restaient la grande faiblesse de ce séducteur, capable de toutes les folies pour faciliter ses conquêtes. Impatient, il ne supportait pas de perdre son temps dans les conventions et ne pouvait donc espérer les faveurs des femmes de son milieu social. Pour cet homme qui refusait l'attente autant que les liaisons durables, les ouvrières étaient des proies rêvées. Il adorait ces relations fugitives et impulsives avec les femmes de la sécherie. Elles n'exigeaient rien et, comme lui, ne cherchaient que leur plaisir, un plaisir qu'il savait leur offrir. Ses talents en la matière étaient reconnus.

Dans ces escapades fugitives, les femmes trouvaient derrière une caisse de morues cette violence du désir qu'elles ne ressentaient plus avec leurs maris, souvent abrutis de travail et d'alcool. Ce qui n'était, au départ, qu'un jeu pour Salaberry était devenu une nécessité. Esclave de son désir. Il se sentait mal et devenait insupportable dans le travail s'il n'avait pas sa proie quotidienne. Au fond de lui, Salaberry n'avait pas du tout le tempérament d'un « Petit Caporal ». Il souffrait de ce sobriquet dont l'avait affublé le personnel, tout comme il vivait très mal sa dépendance. Chaque soir, quand il se retrouvait seul chez lui, dans sa maison au bord de la Garonne, il se promettait de « ne plus recommencer », comme l'ivrogne dit : « Demain j'arrête de boire. »

Il éprouvait aussi du désir pour Louise, mais sur un registre différent. Il trouvait de la beauté à ce visage de paysanne, une touchante noblesse. Son regard s'arrêtait là. Il respectait Louise, et, d'une certaine manière, cela le rassurait. Il était donc capable de sentiments vrais.

Outre la bonté naturelle que lui témoignait cet homme, Louise n'était pas insensible à son charme. Elle aimait ses manières délicates, ses grandes mains fines qui dessinaient dans l'espace les souvenirs de la grande pêche, son élégance naturelle...

Pour rien au monde, elle n'aurait raté le ménage qu'il lui avait demandé de faire chez lui deux fois par semaine. Il s'arrangeait pour être présent ; pendant qu'elle passait le chiffon sur les portraits de famille, il répondait à ses questions inquiètes sur la vie à bord des terre-neuvas. Il se voulait rassurant, mais elle eut l'intuition du drame que devait vivre Antoine, lui qui avait complètement idéalisé ce métier. Elle se reprochait tous les jours de l'avoir laissé partir. Depuis que Salaberry lui avait raconté son accident au Groenland, elle vivait dans la hantise du naufrage. Chaque nuit, le même cauchemar revenait : elle voyait son Antoine happé par les flots glacés.

Sans jamais évoquer ses difficiles relations avec Abel, évitant avec soin de dévoiler la moindre parcelle de son intimité, elle lui contait ses soucis, le manque d'argent et ses efforts pour élever dignement ses enfants. À travers ses tracas quotidiens, c'est toute la misère du petit peuple béglais que Louise décrivait. Salaberry la trouvait admirable.

Quelque chose l'attachait à cette femme. Il attendait impatiemment ses visites. Parce qu'ils ne fréquentaient pas les mêmes lieux, n'appartenant pas au même monde, il ne pouvait la rencontrer que chez lui.

Le respect mutuel devint de la complicité. Chaque semaine, ils se révélèrent un peu plus l'un à l'autre, tandis qu'à la Caminasse le fossé se creusait. Les nuits chez les Graveille se faisaient toujours plus glaciales.

Abel ne revint pas sur sa décision. Il proposa son projet à Mazières. Son ami apportait les fonds et avait acheté un moulin au bord de l'estey de Francs. Ils pourraient ainsi donner une dimension industrielle au façonnage des boulons inventés par Abel.

— Ton idée vaut la mienne, lui dit Mazières. Tu as découvert le procédé, je lui donne un avenir grandiose, nous sommes donc à parts égales. Seulement moi, j'apporte le matériel. Indispensable. Coût : vingt mille francs. Ça fait quand même une différence. Disons que j'apporte les trois quarts de l'affaire, au minimum. Tu auras ta part pour le quart de nos bénéfices. Marché conclu ?

— Si tu veux, répondit Abel dubitatif.

— Mais tu peux aussi me vendre ton procédé. Je l'estime à cinq mille francs. Dans ce cas, tu travaillerais avec moi, d'abord comme ouvrier et, plus tard, comme directeur. Remarque bien que, sans moi, ton procédé n'aurait jamais eu l'avenir que je lui promets. Tu aurais pu tomber sur un sale type qui t'aurait volé...

– Tout de même, répliqua Abel, qu'aurais-tu perfectionné si je ne t'avais pas mis au courant ? C'est quand même moi l'inventeur !

– Peut-être, mais c'est moi qui prends tous les risques. Alors, tu es d'accord ?

Abel fronça les sourcils et se mit à marcher de long en large, les mains derrière le dos. Ces propositions-là ne correspondaient pas du tout à son projet. Il revint en face de Mazières.

– Si j'ai bien compris, reprit-il à la limite de la colère, tu refuses une coopérative ouvrière ? Tu vas tirer bénéfice de la sueur de nos camarades ? De gens comme toi ? Et nos idées ? Le partage, la communauté, la lutte contre les gros qui rappliquent à Bègles avec leurs sécheries de morue ? En offrant aux camarades de prendre part dans l'affaire, on aurait trouvé des fonds.

– Non, non, et non, répliqua Mazières en tapant sur la table, jouant les indignés. Là-dessus, je ne peux pas te suivre. Toi et moi, on met au point une fabrication nouvelle et il faudrait qu'on en fasse partager à d'autres les bénéfices ? Pas question.

– Pourtant, tu te disais socialiste ?

Abel tendit une perche, mais n'osa pas aller plus loin.

– Les socialistes n'ont jamais dit ça. Faut une tête en tout. Les ouvriers ont besoin d'un chef comme les moines d'un abbé !

– D'accord, répliqua Abel qui tenait bon. Tu paies chacun selon son travail, mais tu peux aussi répartir les bénéfices, ou même une partie, entre tous, selon la valeur de chacun. Vois-tu, Mazières, moi, je travaille seulement pour vivre. Si je peux gagner autant en huit heures qu'en dix, je ne travaille que huit. Pourquoi chercher à s'enrichir ?

Mazières le regarda comme une bête curieuse.

– Mais, ma parole, tu es saoul ou quoi ? Faire comme tu le dis reviendrait à une révolution !

– La meilleure ! répliqua Abel. Celle-ci, elle ne verserait pas de sang ! Tu joues les riches, maintenant ? Mais qu'est-ce qui t'arrive, Mazières ?

– Rien, mon vieux ! Tant que nous garderons cette politique d'aujourd'hui, il en faudra, des riches. Quand on aura enfin une République sincère, il sera temps de penser à partager. Bon, assez parlé maintenant, fit Mazières sur un ton irrité. En nous installant à notre compte, nous préparons la société de demain. D'abord, devenons forts et riches ; plus tard, on verra ce qu'on peut faire de tes idées. Je ne veux pas te mettre le couteau sous la gorge, Abel, mais il me faut ta réponse.

Abel, décontenancé, ne savait comment attaquer le raisonnement de Mazières. Même s'il n'en était pas dupe, il n'était pas de taille.

Quelques jours plus tard, ils signèrent un papier qui faisait d'Abel, contre son gré, un capitaliste, et le grand perdant de cette association.

Ses camarades, les cheminots de l'Est, ayant appris la nouvelle, se détournèrent de lui. Chez Vidalenc, il se retrouva souvent seul pour boire son vin blanc d'Entre-Deux-Mers. Les filles qu'il courtisait ne se laissèrent plus approcher : il était passé du côté des riches.

Graveille le rouge venait de se couper du petit peuple, le sien. Il avait beau parader devant Soubiran, « Fini de suer pour vous ! Maintenant je suis associé avec Mazières », il savait qu'il venait de passer à côté de sa chance. Avec ses projets, il avait enterré sa fierté.

Humilié par Mazières, rejeté par les siens, Abel connut une terrible solitude. L'alcool lui fut plus que jamais nécessaire. Il devint jaloux de Salaberry, violent avec ses enfants ; seul Antoine, si loin de lui, trouvait grâce à ses yeux.

Un soir de septembre, il tomba sur la lettre que son fils aîné avait écrite à Louise, et se précipita chez Salaberry qu'il rendait responsable du départ d'Antoine pour ce bagne. Le Basque réussit à le maîtriser et à le calmer. En ivrogne qu'il était devenu, Abel passa de l'agressivité aux larmes ; il s'épancha devant son ennemi, lui révélant son désespoir, son impuissance face à une société injuste, son dépit de ne pouvoir se faire comprendre et aimer de Louise.

Il lâcha tout ce qu'il avait sur le cœur, procéda au décompte lucide de ses renoncements et de ses faiblesses. Salaberry l'écoutait en silence, hésitant entre la compassion et la froideur. Une évidence cruelle lui sautait aux yeux : « Ce type est fini. Quelque chose s'est cassé en lui. Il ne remontera jamais la pente. » Il pensa à Louise, à ses enfants. Quelle vie devait être la leur, auprès de cet homme au bout du rouleau ! Ce n'était pas là de la compassion, mais une souffrance partagée. Il commençait à se sentir redevable du droit au bonheur de Louise. Il sut à ce moment qu'il l'aimait.

À l'usine, Mazières provoqua et entretint des conflits avec Abel jusqu'à ce que son associé fût à bout. Un jour de septembre 1846, Graveille avait pris à partie son associé d'une voix tremblante :

— Je vois bien que je te gêne. Alors, je pars. Je te laisse ma part, avait-il ajouté d'un rire déformé par l'émotion, je ne voudrais pas te mettre sur la paille.

En enfilant son marteau dans sa poche, juste avant de claquer la porte, il avait ajouté :

— Ça ne te portera pas chance. Salut, Mazières.

Il était aussitôt rentré chez lui, si défait que Louise n'avait pu se retenir de lui dire en évitant son regard :

— Encore des ennuis ?

Il l'avait alors attrapée par les épaules, sauvagement, et l'avait secouée en expliquant :

– Des ennuis ? Je suis volé, répétait-il, l'écume aux lèvres, volé, volé, volé. Tu comprends ? Mazières vient de me foutre dehors.

Plutôt que de lancer triomphalement : « Je t'avais prévenu », Louise préféra garder le silence. Sans le vouloir, elle imposait une nouvelle souffrance à Abel. Il aurait tant aimé entendre sa voix au moment où tout s'écroulait sous ses pieds.

Il se dirigea vers l'estey et sortit de leur cachette deux bouteilles de vin de palus qu'il but d'un trait. Il ne revint que tard dans la soirée, ivre, les yeux gonflés par l'alcool et les larmes. Il ne dit pas un mot à Louise qui l'avait attendu dans l'inquiétude, et il s'endormit, affalé sur une chaise, sans même retirer ses souliers. Elle le protégea d'une couverture et regagna sa place dans leur lit. Pour la première fois, ses sentiments se bornèrent à de la pitié.

Huit jours plus tard, un huissier frappait à la porte des Graveille. Louise crut qu'il venait saisir leurs maigres biens. Elle se précipita vers ses enfants qu'elle serra contre elle.

– C'est bien vous, Abel Graveille ? demanda l'homme.

– C'est moi. Que me voulez-vous ? répondit Abel, inquiet.

– M. Robert Mazières m'a commis pour vous apporter, contre quittance, les sept mille francs qu'il vous doit, tant pour vos bénéfices de l'exercice écoulé que pour votre cession de part dans l'association dissoute de votre fait et vouloir.

Il tendit les billets. Abel secoua violemment la tête en signe de refus et demanda une enveloppe à Louise. Il y enfonça les billets et la cacheta.

— Mais vous ne signez pas le reçu, monsieur Graveille ? demanda l'huissier, étonné.

— Je ne signe pas, reprit Abel avec un éclat de rire inquiétant.

L'huissier, pensant qu'Abel allait garder l'argent sans signer, se fit menaçant. Mais Abel n'en avait pas terminé. Il lui ordonna de prendre une feuille de papier dans sa sacoche, et lui dicta :

« Ce jour, 20 septembre 1846, moi, maître Courau, huissier de justice, reconnais que le sieur Graveille, après avoir donné quittance de l'argent reçu par lui de M. Robert Mazières, à Bègles, son ex-associé, soit sept mille francs qu'il lui devait, m'a remis cette même somme, à charge pour moi de la rendre au sieur Mazières susdit. »

— Vous datez et je signe, conclut Abel avant de tendre l'enveloppe remplie de billets en échange du reçu daté et signé.

L'huissier poussa un soupir de soulagement. Sa mission n'était pas tout à fait finie. Il hésita, se gratta la gorge et dit :

— J'ai aussi commission de vous signifier qu'à ce jour, l'association entre mon client et vous étant rompue de votre fait et volonté, il vous est dorénavant interdit, sous peine de poursuites, de forger par matriçage mécanique les boulons, de quelque sorte qu'ils soient. Comme vous ne l'ignorez pas, M. Mazières a pris brevet de son invention sous le nom de « brevet Mazières » en date du 13 juin 1846.

Louise, qui n'avait pas dit un mot depuis l'entrée de l'huissier, ne put retenir son indignation :

– Ah, la crapule ! Tu as entendu, cette fripouille s'est fait breveter ? ajouta-t-elle à l'adresse d'Abel.

Il ne répondit pas. L'huissier partit avec son argent et son reçu.

Le 22 septembre au matin, alors qu'il levait son carrelet, Bellard ramena le corps d'Abel. La veille, Abel s'était jeté dans la Garonne, laissant une veuve et cinq enfants.

Salaberry donna à Louise l'argent du cercueil. Abel fut enterré loin des regards, accompagné de la seule bénédiction de l'abbé Moustey, dans la fosse commune du cimetière de Bègles.

Chapitre 14

L'*Arbonnaise* entra dans le port de la Lune le 10 octobre 1846, au terme d'une traversée assez rapide. S'il n'avait pas rencontré cette satanée série de brises contraires dans le golfe de Gascogne, Le Hideux aurait battu son record, douze jours depuis les Bancs jusqu'à l'estuaire. Profitant d'une risée bienvenue, il avait réussi à s'échapper le premier des eaux glacées et à mouiller avant tous les autres, au meilleur emplacement, dans la rade du port de la Lune. Varet ne se trompait pas avec les hommes : sur l'eau, le capitaine de son navire, avec tous ses défauts, se voulait toujours le plus fort.

Après neuf mois de mer, l'*Arbonnaise* avait perdu de sa superbe. Sa coque, délavée par les grains, perdant par plaques sa peinture, était couverte jusqu'au-dessus de la ligne de flottaison d'une croûte de coquillages et d'algues marines. Sa mâture, sa toile portaient encore les traces des coups de vent subis les mauvais jours. Les réparations de fortune effectuées sur l'avant du navire ne masquaient qu'en partie les dommages subis par la lanterne et le beaupré lors du choc contre le bloc de glace. Dès qu'il aurait livré sa cargaison de morue, le trois-mâts partirait hiverner dans le quartier des chantiers navals. Quatre mois ne seraient pas de trop pour le retaper.

Comme les autres navires venus de Terre-Neuve, l'*Arbonnaise* ressemblait à ces oiseaux du large qui, épuisés par une longue traversée, viennent s'abattre pour l'hiver sous des latitudes clémentes. Malgré la véritable guerre que Le Hideux ava. livrée à ses hommes, sur le chemin du retour, pour qu'ils nettoient le bateau de fond en comble, l'*Arbonnaise* n'était plus aussi élégante qu'au jour du « pardon ».

Un dimanche de 1845, Louise et Antoine avaient pris le chemin du port de la Lune, pour assister à la fête du Pardon : la statue de la patronne des pêcheurs, portée sur un brancard par ceux que l'on appelait les « Islandais », les bassins remplis de goélettes pavoisées jusqu'au sommet des mâts, les hommes éparpillés dans les enfléchures*, découvrant leur tête au passage de la sainte patronne, et ceux qui faisaient sonner la cloche du bord, la bénédiction des bateaux par l'archevêque de Bordeaux... Ce spectacle éblouissant avait renforcé la passion d'Antoine pour la mer. Ce jour-là, pour lui, Terre-Neuve était encore un rêve qu'il brûlait d'impatience de réaliser.

Quand le mouillage plongea dans les eaux limoneuses de la Garonne, au cri de « Pioche », lancé par Le Garrec, Antoine se souvint de cette chanson qu'il avait souvent entendue, de la bouche des plus anciens, pendant le calme des rares marées d'aornie, quand la morue leur laissait du temps pour la nostalgie :

Nous avons vu partir nos pères
Pour les grandes pêches meurtrières
Ils nous ont de leurs bras nerveux
Serrés bien fort, longtemps contre eux.

Nous avons vu nos sœurs jolies
Baiser de leurs lèvres pâlies
Leurs accordés qui de là-bas
Peut-être ne reviendront pas

Nous avons vu aussi nos mères
Cacher des larmes bien amères
Et la grand-mère prier Dieu
De lui garder son dernier fieu

Il était ému de retrouver cet endroit qui l'avait tant fait rêver, ému d'y revenir si différent, mûri par les événements qu'il venait de vivre. Une sorte de nostalgie engourdissait son esprit. Il oubliait en cet instant le calvaire qu'il avait enduré. Lui serait-il si difficile de reprendre la mer, malgré son serment de ne plus jamais remettre les pieds sur le pont d'un terre-neuvas ? Pourquoi les autres repartaient-ils pour une seconde campagne, puis une troisième ? La mer les tenait. Après tout, il avait, lui aussi, envié les doris-siers, leurs aventures quotidiennes au milieu des flots, leur forte personnalité. Il ne doutait pas d'être capable de faire lui-même un excellent marin. La gratitude profonde d'être de retour, d'avoir résisté à ces épreuves, d'être ce marin qui saute sur le quai, les yeux encore tout emplis des horizons lointains, lui montait à la tête comme une ivresse ; il renouait avec ses rêves.

Mais il ne lui fallut qu'un instant pour se ressaisir. Sa décision était prise. Contrairement à ses compa-gnons de chaîne, il avait une conscience, une ins-truction. Il voulait s'engager dans une autre lutte, une lutte politique. Il fallait empêcher tant de souf-frances, celles des marins, celles des ouvriers. Il trouverait un emploi à terre.

D'autres navires vinrent mouiller au bord à bord, dans un assourdissant bruit de chaînes. Bientôt, dans la rade du port de la Lune, on ne vit presque plus d'eau. Les terre-neuvas, pointant vers le ciel leurs mâts, s'accolaient les uns aux autres, formant un vaste ponton entre l'océan et les quais. L'odeur caractéristique de saumure et de poisson salé commençait à se répandre. Elle signalait, sans aucun doute possible, le retour des terre-neuvas au bour-geois distrait qui n'en eût pas été averti malgré les mille autres signaux parcourant les quartiers à la vitesse de la lumière.

Une foule serrée, excitée, se tenait au bord de l'eau. Des femmes et des enfants scrutaient les navires à l'approche et les visages des marins, à la recherche des leurs. Des hommes bien mis, les armateurs, attendaient impatiemment de connaître le tonnage des morues.

Les marins atteignaient la terre ferme d'une démarche chaloupante, comme pris de boisson, et y cherchaient leur équilibre, un gros sac sur l'épaule, les yeux tout brillants dans leur visage mangé de barbe ou rasé au contraire avec un touchant souci de propreté. Certains d'entre eux avaient une main bandée en raison de panaris ou de phlegmons contractés à la suite de mauvaises piqûres d'hameçon, mal soignés en mer. À la vue de leur famille sur le quai, ils s'empressaient de dissimuler leur blessure dans leur dos. Cette petite tricherie avait un côté naïf en même temps qu'admirable : une sorte de pacte secret, transmis de génération en génération, voulait qu'on ne parlât pas de l'enfer de Terre-Neuve, et qu'on essayât, autant que l'on pouvait, d'en effacer les traces.

Sur le visage d'Antoine, elles étaient restées. Parti enfant, il était revenu adulte. Un adulte dont le regard reflétait les épreuves. Avant de descendre, il serra vigoureusement la main de Le Garrec.

— C'était ma dernière campagne avec Le Hideux sur l'*Arbonnaise*, confia le second. Cet homme est de plus en plus fou. On m'a proposé de prendre le commandement de la *Sidonie*, à la prochaine campagne. Si tu veux en être, Graveille, tu seras le bienvenu. Tiens, voilà le nom de mon armateur, dit-il, en lui tendant un morceau de papier griffonné à la hâte.

Déjà, les trieurs s'activaient au-dessus des cales, sortant les morues à la main pour les faire passer aux peseurs. Les poissons étaient alors jetés sur de grandes balances à fléau, munies de plateaux de bois, que surveillaient attentivement les représentants des sécheurs et des négociants. Ceux de Bordeaux étaient connus pour être difficiles et ergoteurs. En particulier Varet, qui réussissait toujours à faire baisser le prix de la livraison en discutant de la qualité du salage ou de l'état des morues.

Antoine prit sans un mot le papier qu'on lui tendait, touché d'avoir su conquérir la confiance du second. Il lança son baluchon sur son épaule et regagna le quai.

Après que les pavés se furent stabilisés sous ses sabots, Antoine scruta la foule des petits métiers qui s'activaient entre la Bourse et le fleuve. Mais personne ne l'attendait sur le quai. Il chercha sa mère au milieu de toutes ces femmes en noir coiffées de leur fichu blanc, mais ne la trouva pas. Elle n'était pas venue.

L'avait-on avertie ? Savait-elle que son fils arrivait aujourd'hui ? Était-il arrivé quelque chose à la maison ? L'inquiétude d'Antoine grandissait de seconde en seconde. Avec son baluchon sur le dos, imprégné jusque dans les pores de sa peau de l'odeur de morue, il s'apprêtait à regagner Bègles, quand il aperçut Salaberry. Il s'avança aussitôt vers lui, tout heureux de retrouver un Béglais. Sur le coup, Salaberry ne reconnut pas ce matelot au visage émacié, piqueté d'une barbe brune, vieille de plusieurs jours.

– Vous ne me reconnaissez pas, monsieur Salaberry ? demanda Antoine, étonné de cette équivoque, je suis Antoine, Antoine Graveille, de Bègles.

– Graveille ? Antoine Graveille... Mais bien sûr !

Il ajouta en guise d'excuse :

– Terre-Neuve t'a changé, mon garçon.

Puis il ôta son béret et prit Antoine par le bras pour l'entraîner loin du bruit. Comment allait-il s'y prendre pour lui annoncer la nouvelle ? Louise l'avait délégué pour cette tâche difficile.

Elle redoutait la réaction de son fils aîné et ne voulait pas l'affronter. Elle savait que ce serait un moment affreux. Par pudeur aussi, elle trouvait préférable qu'il apprît ce qui était arrivé à son père par un étranger. Et personne, en dehors de sa famille, ne lui était plus proche que le Basque. Salaberry avait accepté. Quelle que fût sa répugnance à jouer ce rôle de messager de mauvais augure, rendre service à Louise était pour lui une priorité.

Les deux hommes doublèrent les tombereaux remplis de barriques prêtes à l'expédition, et s'avancèrent vers des gabares en cale sèche qui attendaient d'être calfatées.

– Je suis heureux de te savoir revenu parmi nous, Graveille, poursuivit Salaberry en posant affectueusement sa main sur l'épaule d'Antoine.

Le jeune homme se déroba. Pourquoi Salaberry avait-il tenu à l'entraîner à l'écart ? Quelque chose était arrivé à l'un des siens, il en était sûr maintenant. Sa mère... Qu'est-ce qui avait pu l'empêcher de venir... Bizarrement, alors qu'au large de Terre-Neuve il avait été obsédé par la fragilité de son père, accumulant les mauvais rêves, pressentant qu'Abel allait lâcher prise, il n'avait pas envisagé un instant l'hypothèse de sa disparition. « Trève d'entrées en matière ! Parle ! » semblaient dire ses yeux, durs, exigeants. Salaberry regarda la Garonne, pensif, comme quelqu'un qui cherche ses mots, et le ton juste :

– Tiens, tu vois la gabare qui escamote son mât pour passer sous le pont de pierre ? C'est Coutenuit qui vient chercher ma part de morue sur l'*Arbonnaise*, dit-il, manifestement satisfait d'avoir trouvé un sujet de conversation neutre. D'après Le Hideux, vous avez fait une excellente campagne.

– Ne me parlez pas de ce type, répondit sèchement Antoine. Nous en avons trop bavé, ajouta-t-il, le regard perdu dans ses cauchemars à peine refermés, comme les crevasses dans ses mains.

— Terre-Neuve t'a changé, répéta encore Salaberry. Elle t'a endurci, Antoine. Ça ne m'étonne pas. J'ai connu les Bancs, moi aussi, et je sais d'expérience qu'on n'en revient jamais indemne. Mais tu verras, fit-il d'un air qu'il voulait rassurant, au bout de deux ou trois campagnes, tu te seras habitué.

— Je n'y retournerai pas, coupa net Antoine.

— Après tout, c'est peut-être la meilleure solution. Oui, ajouta-t-il comme pour lui-même, ta mère va avoir besoin de toi.

— Ça suffit, monsieur Salaberry, lança Antoine d'un ton glacial. Il s'est passé quelque chose à la Caminasse. Vous me prenez à part et vous me parlez de Coutenuit. Assez joué aux devinettes, vous me prenez pour un imbécile ? Et d'abord, pourquoi ma mère n'est-elle pas venue à ma rencontre ?

Salaberry le regarda un instant. Après tout, le garçon avait raison. Et il lui facilitait la tâche.

— Ta mère va bien, tes frères et sœurs aussi. C'est ton père. Sois fort, Antoine. Désormais, c'est toi le chef de famille.

Il fallut quelques secondes pour qu'Antoine réalisât ce que Salaberry venait de lâcher. Le Basque ne le quittait pas des yeux, cherchant à deviner ce que le jeune homme pouvait avoir besoin d'entendre dans un moment pareil. Antoine paraissait loin, très loin d'ici. Peut-être pensait-il à Michel, le mousse, son compagnon de bagne et à tous ceux que la mer avait engloutis durant cette campagne de pêche, attendus en vain par femmes et enfants ? Soudain, il parla :

– Comment ? Un accident ?

Salaberry admira la maîtrise dont faisait preuve ce petit homme de quatorze ans. Il choisit de jouer franc-jeu.

– Ton père n'allait pas bien depuis quelque temps. Depuis son associaton avec Mazières, très exactement. Cette histoire l'a rendu fou. Le père Bellard l'a remonté dans son carrelet. Ce n'était pas un accident, Antoine. Il s'était lesté.

Antoine ne répondit rien. À quoi cela servait-il de parler ? On ne partage pas une douleur aussi intime. Un grand vide venait de s'installer entre les deux hommes. Salaberry rompit le silence pesant :

– Il n'a laissé aucune explication. Ta mère a fouillé tous les tiroirs, mais elle n'a rien trouvé. Le silence absolu.

Antoine n'ouvrait pas la bouche, le regard fixé sur la Garonne.

– Écoute, Antoine, il s'était mis en tête des projets de coopérative, mais ça ne pouvait le mener bien loin. Il s'est trouvé isolé... Il a été déçu. Il faut que tu lui pardonnes ce geste, même si tu trouves qu'il a mal agi.

Salaberry attribuait le silence d'Antoine à de la désapprobation. Lui-même jugeait sans doute qu'un homme qui a charge de famille n'a pas le droit de commettre un tel crime. Il cherchait à Abel des circonstances atténuantes, pensant qu'elles aideraient Antoine à porter le fardeau de cette perte. Il était lancé et décida de tout dire au fils de Louise :

– Et puis, il buvait, ton père... Tu le sais sans doute. Il buvait beaucoup. Ça rend fragile. On commet l'irréparable sans s'en être rendu compte.

Antoine ouvrit la bouche pour la première fois depuis de longues minutes :

– Ne vous fatiguez pas, monsieur Salaberry, je sais tout ça depuis longtemps.

Il remit son baluchon sur l'épaule et prit la direction de Bègles. De grosses larmes coulèrent sur son visage dès qu'il eut le dos tourné. Pauvre Abel. Quel crève-cœur de l'imaginer gonflant ses poches de gros cailloux, seul avec ses idées généreuses, mal aimé, incompris. Loin d'en vouloir à son père, il s'en voulut à lui-même, de l'avoir méconnu. Comme les autres, comme ce Salaberry qui lui jetait la pierre, maintenant qu'il n'était plus là pour se défendre, il n'avait pas su comprendre Abel.

– Je te raccompagne, Antoine ? cria Salaberry, désireux de montrer sa sympathie, d'une façon ou d'une autre, au fils préféré de celle qu'il aimait.

Il ne savait pas encore qu'il venait de passer à côté d'une bonne occasion de se taire, et que sa maladresse pèserait lourd. Il ne sentit pas davantage ce qu'il y avait de définitif dans la réponse que lui fit Antoine :

– Ces choses-là, on les règle tout seul. Au revoir.

Sans se retourner, Antoine remonta la pente du quai des Salinières, passa devant la porte de la Monnaie et se retrouva bientôt sur le chemin du Petit-Port.

Les pendilles vides attendaient leur livraison, l'air portait encore le parfum de la vendange à peine terminée. Antoine croisa les charrettes du château de Tartifume auxquelles il fit un signe amical mais lointain. Il était ailleurs.

Son retour chez lui, à Bègles, il l'avait attendu comme on espère la Terre promise, et voilà que le destin lui volait sa joie. Il était bouleversé, furieux et anéanti en même temps. Il appréhendait de revoir les siens. Toutes ses forces lui seraient nécessaires, et il ne s'était jamais senti aussi faible. Cette dernière épreuve, inattendue, terrible, lui avait porté le coup de grâce.

Dans quel état allait-il trouver sa mère ? Que se diraient-ils ? Le sol se dérobait sous ses sabots. Il s'appuya contre un arbre, exactement comme son père l'avait fait, ce soir de 1838 où Antoine guettait son retour. Cette image traversa son esprit en une vision fulgurante. Fallait-il que son père eût été malheureux, désespéré, à cette époque déjà ! Et lui, que n'avait-il su trouver en lui-même plus de souplesse, plus de tendresse !

Le paysage béglais, qu'il se forçait à imaginer, sur l'*Arbonnaise,* quand le désespoir menaçait de l'emporter était maintenant devant ses yeux comme une scène déserte, inutile. Pour qui souffrait-il ? Pour la douleur de sa mère ou pour la perte de ce père qui ne l'avait pas « attendu » ?

Rien ne se passa comme il l'avait prévu. Il ne trouva pas sa mère à la Caminasse, mais Catherine, qui gardait les enfants. Une année d'épreuves avait changé sa sœur préférée. Son visage prématurément vieilli en disait plus long à Antoine sur les épreuves traversées par sa famille que n'importe quelle explication.

— Où est notre mère ? fit-il, après avoir serré sa sœur dans ses bras et pleuré en silence avec elle.

— À l'estey, pour la corvée d'eau. Va à sa rencontre. Elle sera contente de te voir.

Elle caressa le cou de son frère et ajouta :

— Nous t'attendions, tu sais, Antoine, mais maman n'a pas eu le courage d'aller jusqu'au port de la Lune pour t'annoncer la mauvaise nouvelle. Elle a demandé à monsieur Salaberry de s'en charger.

— Pourquoi lui ? reprit Antoine sur un ton irrité.

— Maman lui fait confiance. Tu n'imagines pas ce qu'on a vécu depuis que tu es parti. M. Salaberry est bon. Il s'est occupé de nous.

Elle n'en dit pas plus. Antoine se rappela qu'à l'époque de la sécherie, Salaberry venait voir Louise à tout propos. Il avait soupçonné une attirance.

Il se dirigea vers l'estey et s'arrêta à quelques mètres de sa mère pour la regarder accomplir les gestes qu'il connaissait si bien. Louise peinait. Il s'approcha d'elle et saisit l'anse du seau au moment où elle s'apprêtait à le soulever.

Quand cette main étrangère se posa sur la sienne, la première réaction de Louise fut de crier. Elle se retourna pour voir à qui elle appartenait et son visage heurta celui d'Antoine. Après un geste instinctif de recul, elle le reconnut.

– Antoine, mon fils chéri, fit-elle en serrant son garçon dans ses bras. Il était temps que tu reviennes. Le malheur est dans notre maison.

Puis elle s'effondra en pleurs. Antoine, qui s'était promis de réagir « en homme », ne put retenir son émotion et sanglota contre sa mère.

Il fallut songer à rentrer. Antoine attrapa les bras de la brouette, lourde de ses seaux remplis d'eau, et écouta sa mère. Il voulait tout savoir.

Quand arriva le coucher du soleil, il se dirigea vers le carrelet des Bellard, là où son père s'était jeté dans la Garonne. Le fleuve était plein, lisse. Les eaux dorées, étaient comme embrasées par les derniers rayons du soleil, qui mettaient aussi en valeur les hautes tiges des roseaux. Une mouette plongea en piqué sur sa proie, des mulets avides d'insectes sautaient à la surface de l'eau, la brise du soir dessinait des ondulations dans le filet de Bellard.

Antoine contemplait douloureusement le filet de pêche, essayant d'imaginer la scène. Une question lui revenait sans cesse, une question dont il ne savait pas encore qu'elle l'obséderait sa vie durant : « Pourquoi ne m'a-t-il pas attendu ? »

Chapitre 15

Les événements de cette année 1846 fixèrent le caractère d'Antoine, et déterminèrent ses choix. Terre-Neuve en avait fait un jeune homme rude à l'épreuve, la mort de son père un révolté.

Très vite, il sentit remonter en lui la force qu'il s'était découverte lorsque lui était venue l'idée de crever la sale panse bourrée d'alcool d'Yves, le dorissier, d'un bon coup de caqueux. La misère et le sentiment de solitude, aggravés par les brimades de ce salaud, s'étaient soudain transformés en une bouffée de colère froide, déterminée, sauvage. Une autre fois, impuissant à secourir Michel, son compagnon d'infortune, dont le visage tordu par la peur panique au milieu des rires édentés l'avait bouleversé, la même envie l'avait saisi. S'il n'avait pas entendu une voix venue du fond de sa conscience, forgée sur les bords de Garonne en compagnie d'André, ou chez Caps, une voix qui lui conseillait de garder son sang-froid, de ne jamais agir sur un coup de tête, il aurait frappé Yves durant son sommeil. Avec le plaisir de se débarrasser d'un malfaisant.

C'est dans cet état d'esprit, tendu, audacieux, déterminé à venger son père, à lutter contre la souffrance, la bêtise et la misère, qu'il se rendit chez Caps, comme on revient aux sources. Le maître d'école, reconnaissant Antoine, lui ouvrit grand sa porte et ses bras, tandis qu'une expression d'immense soulagement, mêlé de compassion, plissait sa figure. Ses yeux, qui savaient se faire si durs naguère dans la salle de classe, se mouillèrent de larmes qu'il ne songea pas à dissimuler. Jamais sa bonté cachée n'avait mieux éclairé ce visage sévère.

Antoine résista à l'envie qu'il avait de se jeter dans ces bras amis. Il se tenait raide, sur le pas de la porte.

– Comment, c'est toi, Antoine ! C'est donc toi ! Te voilà un homme maintenant ! Tu as forci, grandi !

Le maître alignait ces mots banals, ne sachant exprimer autrement son émotion et son plaisir.

– Et tu es venu me voir ! C'est bien. Entre, mon garçon, sois le bienvenu, chenapan !

La réaction d'Antoine le peina, mais ne l'étonna pas outre mesure. À ces paroles chaleureuses, celui-ci se contenta de répondre :

– Mon père est mort. Ma mère m'a tout raconté.
J'ai besoin de savoir ce qui s'est passé exactement.
Cette histoire avec Mazières. Est-il vrai que mon
père s'était mis en tête des idées folles, c'est l'expression de ma mère, des projets irresponsables et
irréalistes ?

Caps avait en face de lui un jeune homme blessé
au plus profond de lui. Il devait être prudent avec ce
jeune fauve qui brûlait de se faire les griffes. Sa
force, Antoine semblait la puiser dans la haine.
Était-ce là le jeune garçon auquel il avait inculqué
les valeurs humanistes qui lui tenaient à cœur ?
« Terre-Neuve en a fait un enragé », pensa-t-il.

Il lui conta, de façon approfondie et nuancée,
toute l'affaire. Sans taire les défauts et les excès
d'Abel, il sut faire la part de son génie inventif, de sa
générosité, d'un idéalisme dont il suggéra la force et
la noblesse. En l'écoutant, Antoine se détendit. Il lui
était doux d'entendre rendre justice à son père, par
un homme qu'il savait intelligent, et qu'il admirait.

Il revint souvent chez Caps au cours des semaines
qui suivirent. Le maître d'école, qui était fin, et qui
aimait Antoine, s'employa à le faire parler, comprenant que c'était la seule façon de canaliser des forces
qui s'étaient déchaînées au cours des mois précé-
dents, et que le garçon devait organiser et maîtriser.
Caps devina assez vite que la haine qui empoison-
nait l'esprit d'Antoine venait de plus loin que Terre-
Neuve. Antoine s'en voulait d'abord d'avoir
manqué son père. Il se rebellait, en enfant qu'il était

encore, contre son impuissance à refaire l'histoire, celle de son lien avec ce père disparu. Il en voulait à la mort d'empêcher toute tentative de retour en arrière. « Avec elle, c'est toujours trop tard », se répétait-il.

Mazières faisait un bouc émissaire commode et, avec lui, tous les patrons de la terre. Antoine trouvait en eux des adversaires avec qui il brûlait d'en découdre. Toute l'intelligence de Caps fut de transformer progressivement cette affaire personnelle en un projet politique. Il fallait empêcher à toute force qu'Antoine ne devînt un aigri, un revanchard mauvais. Il fallait lui ouvrir un terrain d'action où sa fougue pût se donner carrière, transformer ses envies de destruction en énergie créative. Caps ouvrit délibérément l'esprit de son ancien élève aux théories révolutionnaires qui lui étaient chères. Alors qu'il n'avait que très peu abordé les sujets politiques jusqu'alors, il n'hésitait plus à prendre parti, à s'engager.

Caps savait qu'Antoine devait commencer par se réconcilier, même de façon posthume, avec son père pour trouver la paix avec lui-même.

– Ton père, lui répétait-il, avait peut-être de nombreux défauts que tu n'aimais pas, mais il a toujours su garder le front haut. C'était un homme libre, lui. Il pouvait parler aux siens, ses compagnons de servage, avec la force de ceux qui croient à leurs idées et qui les suivent. Il n'a pas pu accepter la trahison de Mazières. Il vivait pour cet atelier coopératif qui n'a jamais vu le jour. Il en est mort, le malheureux...

Et il enchaînait, dans un mouvement rhétorique destiné à effacer la culpabilité et la frustration qu'il sentait chez Antoine, pour exalter de plus nobles sentiments :

— Vois-tu, Antoine, l'égoïsme, c'est la perte des hommes, c'est leur vrai vice. C'est l'égoïsme qui divise et qui sépare ceux qui devraient faire bloc contre l'ennemi commun.

Antoine vit souvent Caps se mettre à pleurer, au cours de ces conversations. Avec sincérité. Il ne mentait pas. La mort d'Abel, qu'il avait reconnu trop tard pour l'un des siens, laissait un intolérable goût d'amertume à l'instituteur, et des regrets coupables. Il n'avait pas connu Abel, mais il en parlait comme s'il avait été l'un de ses plus proches compagnons. Il évoquait le monde ouvrier naissant, et les patrons, de même que s'il avait été au cœur des combats, avec la persuasion propre aux intellectuels. Il trouvait ainsi à s'évader de ses livres, le seul monde qu'il connût bien.

« L'égoïsme, il n'y a pas de pire aveuglement et nous en crèverons tous. » À répéter cette formule, parmi d'autres, avec toute sa force de conviction, il espérait inciter Antoine au combat contre le fatalisme caractéristique de ceux de sa condition. Ce qu'Abel n'avait pas pu faire, Antoine le réaliserait. Cette perspective remplissait Caps d'une joie aussi profonde qu'intime : il n'était pas homme à faire étalage de ses sentiments.

Louise avait changé. Après la catastrophe qu'elle venait de vivre, elle était devenue timide. Elle avait toujours eu ce fond de soumission, cette méfiance envers l'audace qui l'avaient rendue aveugle au meilleur d'Abel. Mais maintenant, en plus, elle avait peur.

Elle insista pour qu'Antoine revienne à la sécherie Varet, « une situation convenable, auprès d'un patron sérieux, qui sait reconnaître le mérite de ses ouvriers », répétait-elle. Elle savait pouvoir compter sur le soutien de Salaberry, et pensait qu'il aurait la meilleure influence sur son Antoine. Mais, malgré tous ses efforts, ses supplications, ses menaces, elle ne put le décider à y remettre les pieds. Antoine n'était pas homme à revenir sur un serment. Et puis il était en compte avec Mazières, et c'est chez lui qu'il voulait travailler.

– Il ne t'acceptera jamais, ce salaud, prédit Louise, sous le coup de la déception, et dans la crainte que le pire n'arrive une autre fois.

C'était bien mal connaître la détermination de son fils.

Il alla trouver Mouneydières qui ralluma sa forge. Le forgeron lui apprit les bons gestes en quelques semaines. Antoine montrait la même habileté que son père dans le maniement du marteau. Il possédait cette précision et cette concentration qui font les bons forgerons. Abattant le lourd instrument sur le fer rougi, lui imprimant une forme en quelques coups sur l'enclume, il prit vite goût à ce nouveau métier qui le rapprochait de son père et de son enfance, devenue si lointaine depuis que Terre-Neuve et les épreuves de la vie l'avaient fait basculer avec violence dans le monde des adultes.

Tous les soirs, il rendait visite à Caps, qui lui faisait lecture de Fourier et de Babeuf, et lui livrait dans le plus grand secret des informations venues de Paris. « La colère monte, Antoine, lui disait-il en confidence, bientôt ce sera la révolution. » Antoine lui répondait sur le même ton : « Êtes-vous sûr qu'à Bègles nous serons prêts ? »

Une autre personne entra dans la vie d'Antoine, une nouvelle amie qui vint l'encourager, et l'aida à panser ses blessures, à transformer la boue en or, la rancune et l'amertume en volonté et en projets.

Marthe Saint-Gérard avait été une petite fille noiraude, qui courait les champs et les prés comme un garçon, et en remontrait aux garnements de son âge pour ce qui était de tirer à la fronde ou de rendre horion pour horion. Elle avait la langue acérée, et personne n'aurait osé la défier publiquement, de crainte d'être couvert de ridicule dans les secondes qui auraient suivi. Elle n'était pas « jolie » au sens admis alors. Trop vive pour être sage, les yeux brillants sous ses cheveux noirs en bataille, c'était un petit elfe qui savait conquérir tous les cœurs. Antoine l'avait connue de loin, lorsqu'il était aux foins au pré de Raimbaud. Il n'avait jamais osé l'approcher. Une telle joie de vivre l'impressionnait. Ç'avait été un amour d'enfant, secret et platonique.

Il ne reconnut pas sur le coup cette jeune femme soignée, propre, énergique, qui parcourait d'une démarche de princesse les rues du bourg, accompagnée de jeunes filles de son âge, des ouvrières de chez Varet. Ses cheveux noirs, pour être sévèrement nattés en deux grosses torsades qui dégageaient un large front resplendissant d'intelligence, n'en exprimaient pas moins la superbe et l'indépendance de ce caractère. Des boucles nerveuses s'en échappaient, qu'elle rattachait d'un geste souple, quand elle y pensait.

Antoine fut subjugué au premier regard. Mais, pendant de longues semaines, il resta à distance. Il se sentait lui-même trop indigne, trop atteint par les épreuves, pour mériter d'attirer son attention. Ce fut elle qui se décida à lui parler. Elle avait su ce qui était arrivé à son père et, avec un beau mépris des convenances, elle vint lui dire à quel point elle avait admiré ce combat solitaire d'Abel. Elle était la seule à ne pas l'avoir désapprouvé lorsque l'on avait appris comment il avait refusé les sept mille francs de Mazières, l'argent de la trahison.

Cela se passa un soir de juin, comme il se rendait chez Caps en sortant de la forge de Mouneydières. Antoine resta pétrifié. Elle savait donc qui il était ! Elle était de son côté ! Il se garda de l'effaroucher et de lui laisser entendre quoi que ce fût, mais à partir de ce jour-là, il s'arrangea pour la rencontrer.

Ils eurent des conversations, à mesure que les jours allongeaient, d'abord au bourg, où il fallait toujours s'interrompre bien trop tôt, puis sur les bords de Garonne où on les voyait assis, de longues heures, tout près du carrelet des Bellard, à distance respectable l'un de l'autre. Ils aimaient tous deux ces lieux, qui leur apportaient la paix intérieure et les poussaient l'un vers l'autre, comme ces roseaux qui s'embrassaient sous l'effet de la brise.

Antoine s'était toujours lié avec des hommes plus âgés. Il s'émerveilla de ce que quelqu'un de son âge pût partager ses convictions, renchérir sur ses ambitions révolutionnaires. Il se découvrit un talent pour analyser, construire, échafauder théories et projets, refaire le monde. Il s'essayait à juger, à réfléchir devant une autre personne qui l'écoutait et comprenait ses paroles, tout en devinant ses blessures. Et cette personne n'était pas indifférente, c'était la plus jolie fille qu'il eût jamais vue, la première sur laquelle il eût levé les yeux. Leurs conversations se firent peu à peu plus intimes, sans que rien d'équivoque ne vînt troubler cette entente.

Marthe Saint-Gérard n'avait de comptes à régler avec personne, et elle possédait un esprit indépendant qui avait fait d'elle à la sécherie « celle qui ose parler au patron ». Aurait-il rejoint le « Moulin » de Mazières avec une telle détermination, sans ces interminables conversations qui le confortaient dans ses convictions ? Sans elle, sans sa bonne humeur et sa confiance, son ardeur aussi, aurait-il pu affronter celui qui avait ignoblement trompé son père, qui avait causé son malheur après lui avoir fait entrevoir un monde meilleur, où il aurait eu, lui, Abel Graveille, un rôle à jouer ? Sans elle, où aurait-il trouvé la force de résister aux assauts de sa mère, qui le suppliait de renoncer à ce projet ?

Car Louise n'en démordait pas :

– Il va t'écrabouiller. Mazières est plus fort que nous. Tu n'es pas de taille, Antoine. Si tu essaies, tu finiras comme ton père. N'y va pas, mon chéri, pour l'amour de ta pauvre mère.

Et elle s'accrochait à lui en le suppliant.

Antoine, tout pénétré d'amour pour sa mère, avait du mal à ne pas céder à de telles objurgations. Il détestait la voir souffrir, et s'en savoir la cause. Mais il comprit un jour que le fossé qui les séparait ne ferait que s'élargir. Ce soir-là, la Caminasse semblait plus misérable que jamais sous la pluie fine du début juin. La vaillante petite cabane avait maintenant fait son temps, et prenait l'eau de toutes parts. Devant cette misère, Antoine garda le silence : à quoi bon répondre à sa mère, essayer de la persuader quand il l'avait vue, depuis son enfance, admettre sans rechigner son sort, avare de bons jours ? Ce fut l'intervention de Catherine qui lui révéla la profondeur de leur dissension. Excédée par cette scène cent fois rejouée, la jeune fille prit vivement à partie sa mère, et la sépara d'Antoine :

— Laisse donc ! Laisse-le faire, s'il veut se rendre malheureux, mais ne rentre pas dans son jeu ! C'est un têtu, un obstiné, un Graveille, toujours à se rebeller et à vouloir la lune. Des gens comme ça, ça veut le bien mais ça ne sait faire que le mal. Des grands mots, des idées d'honneur et de vengeance ! Mais pour qui se prend-il ? Il veut « faire payer » Mazières ! On sera bien avancées, quand les gendarmes viendront !

Antoine voulut protester, expliquer, convaincre. Mais Catherine était trop proche de sa mère pour tenter de comprendre. Avant qu'Abel et Louise ne se parlent plus, elle avait toujours pris le parti de sa mère. Elle n'avait rien passé à son père, à qui elle s'adressait durement. Elle ne mesurait pas combien elle l'avait fait souffrir. Comme son frère, dont elle s'éloignait chaque jour un peu plus, elle n'avait pas su aimer Abel... Le visage tordu par la colère, elle continua :

— Pour l'amour de Dieu ! Tais-toi ! Je déteste ta façon de te poser en justicier, de prendre de grands airs ! Maman a eu son lot avec papa, elle mérite mieux que ce que tu lui prépares. Tes idées politiques, c'est n'importe quoi, des prétentions de malheureux et de fainéants, qui pensent tout mériter sans rien faire ! C'est cette Saint-Gérard qui te met ces idées dans la tête, sans doute. Non, mais pour qui elle se prend ?

Antoine vit rouge. Mais il avait appris depuis longtemps à se maîtriser. Catherine avait été sa sœur préférée mais elle suivait maintenant d'autres voies que les siennes. Ce n'était pas la peine de discuter. Il lui faudrait apprendre à renoncer à des liens lorsqu'ils devenaient des entraves. Pour le combat qu'il voulait mener, c'était indispensable. « C'est ainsi que je deviendrai un vrai révolutionnaire, se consolait-il, les vrais révolutionnaires doivent être sans faiblesses. »

Catherine avait beaucoup souffert. Elle n'était pas jolie, Marthe était trop belle, trop fière, trop indépendante.

Catherine revint à plus de tendresse :

– Tu as changé, Antoine. Avant ton départ pour la grande pêche, tu étais mon frère chéri. On pouvait parler de tout. Maintenant, tu t'éloignes un peu plus chaque jour, tu parles comme quelqu'un d'autre, comme un étranger.

Si Marthe n'était pas entrée dans la vie d'Antoine, il serait sans doute parti un peu plus tard, mais il serait parti. Le mal était beaucoup plus profond que sa sœur et sa mère ne voulaient le croire. Il ne se réduisait pas à une simple affaire de cœur et à une incompatibilité de caractère entre trois femmes. Pour lui, comme pour ses enfants à venir, Antoine ne voulait pas le même monde qu'elles. C'était aussi simple et aussi brutal. Il n'acceptait pas les règles de cette société qui s'en prenait aux siens et il ne comprenait pas que sa mère et sa sœur, victimes parmi d'autres de ce monde injuste, fussent ainsi soumises à ce qu'il appelait l'« ordre des maîtres ».

Les camps se mettaient en place autour d'Antoine. Il avait suffi qu'il prenne position. Il comprenait à ses dépens le sens de l'adage : « Qui n'est pas avec moi est contre moi. »

Entêtée comme sa mère, Catherine avait fait promettre à Salaberry de parler d'Antoine au père Varet. « Peut-être le reprendrait-il malgré tout à la sécherie ? Il n'est pas mauvais, il a seulement mal supporté la mort de papa. Bien entouré, il reviendrait dans le droit chemin. »

Le Basque avait accepté, « à condition qu'il se tienne tranquille », avait-il précisé pour ne pas avoir l'air de céder à la compassion.

Bien qu'il ne fût pas dans ses habitudes de se rendre à la Caminasse du Lugan, car il lui importait de ne pas prêter le flanc aux médisances, Salaberry vint rendre visite à Antoine et lui proposa de revenir à la sécherie.

— Varet est prêt à tout oublier, lui confirma-t-il, je te conseille d'accepter... Tu ferais plaisir à ta mère.

— Ne mêlez pas ma mère à ces histoires, répliqua Antoine sans l'ombre d'une hésitation. Je ne remettrai jamais les pieds chez Varet, ni dans aucune séchérie, où que ce soit au monde. Trop de malheureux vivent le bagne pour l'enrichir, lui et ses pareils.

Il tendit ses paumes devant lui.

– Vous voyez mes mains, fit-il, elles en ont trop enduré pour engraisser ce type et ceux qui le servent. Je ne toucherai plus à ces saloperies de bestioles.

Salaberry n'insista pas. Il savait, depuis cette conversation avec Antoine fraîchement débarqué, à quoi il devait s'attendre. Il se tourna vers Louise et Catherine, qui pleuraient. « J'ai tout essayé » semblaient dire ses yeux. Il repartit sans colère, inquiet seulement qu'Antoine ne fût guidé que par l'envie de prendre sa revanche sur le destin.

La visite de Salaberry confirma Antoine dans la certitude que sa mère et sa sœur étaient, malgré leur condition, du côté des « patrons ». Aussi décevant et troublant que cela pût paraître, elles étaient de celles qui « bêlent quand on les tond », selon l'expression imagée de Caps, qu'Antoine n'avait jamais oubliée.

Quand Fernand Mouneydières, qui avait abandonné sa forge depuis quelque temps pour travailler au « Moulin », considéra l'apprentissage d'Antoine terminé, il l'amena chez Mazières.

Pour marquer qu'il était le patron, et qu'on lui devait le respect, l'ancien associé d'Abel demanda au jeune homme de décliner ses nom et prénom.

– Graveille ? dit Mazières en levant un sourcil, jouant l'étonné, le fils de notre regretté Abel ? Mais je te croyais à la grande pêche !

– Non monsieur, répliqua Antoine avec une feinte déférence, depuis qu'il n'y a plus d'homme dans la famille, je me dois de rester à Bègles.

– C'est bien, mon garçon, reprit Mazières, tout miel. Ta pauvre mère a sans doute bien besoin de toi aujourd'hui.

Antoine le coupa net :

– Avez-vous du travail pour moi ? Je connais maintenant le métier. M. Mouneydières me l'a appris.

– Et je puis vous assurer qu'il n'est pas maladroit, se hâta d'ajouter le vieil homme, mettez-le donc au moulage, il y fera merveille.

Le regard de Mazières s'attarda sur Antoine. Physiquement, le fils Graveille avait tout de son père. Il espérait que le petit n'avait pas le même caractère. « Je fais peut-être entrer le loup dans la bergerie, se dit-il, mais en même temps, si l'on apprend que j'ai refusé le fils Graveille, on risque de jaser. »

– C'est d'accord, reprit-il en tendant la main à Antoine, tu embauches demain à sept heures. Tu commenceras avec Mouneydières.

Antoine garda les mains le long du corps. Il ne remercia pas, se contentant d'un : « J'y serai. »

Mazières comprit que son intuition ne l'avait pas trompé. Mais il ne soupçonnait pas encore l'étendue de la faute qu'il venait de commettre.

Chapitre 16

Antoine se comporta en ouvrier modeste et modèle. Mouneydières l'initia au travail de fonderie : le sable qu'on piétine et qu'on tasse dans les châssis de fonte, le transport du métal incandescent qui brûle la peau si l'on n'y prend garde, la coulée où le moindre faux pas est mortel, la fonte qui crépite et peut jaillir à la figure... De nombreux ouvriers avaient été gravement brûlés durant cet exercice.

Dans le halètement incessant des moteurs, les chocs assourdissants des barres contre les cuves, l'odeur entêtante de l'huile des machines, le ronflement des courroies, le grincement des meules, cette chaleur étouffante de la fonte incandescente, il n'était pas donné à tout le monde de garder la concentration indispensable. Il en courait, à la forge, des histoires d'accidents, de brûlures, de veuves éplorées.

Jour après jour, malgré les remontrances, puis la résignation douloureuse de sa mère et de sa sœur, Antoine se forgeait une conscience d'ouvrier. Caps n'était plus son seul interlocuteur sur ce sujet, il y avait maintenant Marthe, à laquelle il pouvait tout dire. Elle savait l'écouter et trouver les mots qui lui redonnaient confiance. Avec elle, tout était limpide. Elle lui éclairait l'esprit.

Ici, sur la terre ferme, on pouvait construire des projets avec quelque chance de changer l'ordre des choses. Ce n'était pas comme sur les terre-neuvas, où la Loi du capitaine, le seul maître après Dieu, l'emportait sur toute autre raison ; et puis, à terre, même si l'on travaillait dur, on pouvait encore réfléchir. Sur les terre-neuvas, une seule chose comptait, la morue. Inutile d'essayer de mobiliser de pauvres diables, épuisés par la mer et le travail. Quand la morue leur en laissait enfin le temps, ils ne pouvaient plus penser qu'au repos. Antoine apprenait les nuances. Le monde qu'il venait de quitter était celui des forçats de la mer, des gens sans avenir ni espérance, des galériens. À terre, on subissait une autre forme d'exploitation, mais avec l'espoir de se libérer un jour de ses chaînes. Le monde de la terre ferme était paradoxalement plus riche en horizons que celui des terre-neuvas.

Antoine raisonnait mieux, surmontait ses rancunes, sans pour autant renoncer à sa soif de justice. Sans mettre sur le même plan Salaberry, dont il reconnaissait les qualités, et Mazières, qu'il honnissait, il apprenait à voir qu'ils étaient équivalents : des patrons tous les deux, l'un vivait du travail des forçats de la mer, l'autre de l'exploitation des ouvriers au nom du « Progrès ». Ces deux mondes, et donc ces deux hommes, inspiraient à Antoine la même révolte, le même goût de la résistance et du combat, et, surtout, une aversion pour la hiérarchie ou toute forme d'ordre imposé. Épris de liberté, il ne pouvait aimer ni l'une, ni l'autre.

Tout ce qu'il observait nourrissait ses convictions. Avec la même ardeur qu'il avait mise à apprendre à lire auprès de Caps, il cherchait à comprendre ce qui n'allait pas à Bègles. Chaque matin, à l'aube, il croisait les femmes et les filles qui se rendaient aux sécheries du petit port en traînant leurs sabots sur la terre humide, les vêtements imprégnés de l'odeur de morue qui lui rappelait Terre-Neuve, tandis que lui et des centaines d'autres ouvriers prenaient la direction du « Moulin » pour douze heures dans la forge, où le moindre faux pas, la moindre inattention pouvaient coûter la vie.

Chaque matin il voyait sa ville se diviser en deux et, chaque matin, il se répétait que tous ces gens méritaient mieux que la misère pour trait d'union. Il enrageait quand il voyait, dès l'aube, sortir ses camarades d'atelier de chez le bougnat en s'essuyant les lèvres d'un revers de main, esclaves du rituel de l'alcool matinal pour « se donner du cœur à l'ouvrage ». Quand il passait sous le porche du « Moulin », au son de la sirène qui appelait les ouvriers au travail, au milieu de ses camarades de labeur, il ne pouvait s'empêcher de penser à son père, et à ce Mazières qui l'avait dépouillé et conduit tout droit à la Garonne. « Pour toi aussi, Mazières, la roue tournera, se disait-il, et ce ne sera que justice. »

Antoine s'était lié par choix à ce moulin, qui lui était odieux. La tâche ne lui faisait pas peur. Il avait connu bien pire du côté de Terre-Neuve. Il n'aimait pas cela, mais il se faisait un devoir de rester là, et de travailler correctement.

27 novembre 1847
C'est ici que je dois parler aux miens. Pas ailleurs. C'est eux qui ont besoin de moi. Quand je me sentirai prêt, je leur parlerai ; je leur expliquerai que Mazières les exploite, qu'avec ce travail on ne perd pas que ses bras, mais aussi son cœur, que l'alcool les abrutit, je leur parlerai de l'école et des livres, qui ouvrent l'esprit et préparent à la liberté. Ils ne m'entendront pas tous, peu importe. Pour changer le monde, il suffit de quelques-uns... Cette parole que je leur dois, c'est le sacrifice de mon père qui me l'a soufflée.

Antoine n'allait plus chez Caps tous les soirs depuis qu'il fréquentait Marthe, mais il lui rendait régulièrement visite. Un soir, le Béarnais, en le raccompagnant, le retint quelques instants dans le vestibule, et lui murmura sur le ton du conspirateur :

— Viens sans faute, ce samedi soir. Je te réserve une surprise.

Antoine obéit, devinant qu'il s'agissait de leur lutte. Le samedi, à neuf heures tapantes, il frappait à la porte. Caps le conduisit dans sa « bibliothèque », une grande pièce chauffée par un poêle en hiver, qui présentait le double avantage d'être au fond de la maison et d'ouvrir, au besoin, sur les jardins. On pouvait y parler sans crainte des oreilles indiscrètes. Un jeune homme costaud, aux manières franches, était déjà installé dans la pénombre et se leva à son arrivée. Un sixième sens l'avertit qu'il avait déjà eu affaire à ce gars-là, bien que cette large carrure, ce visage adulte, cette mise parisienne ne lui rappelassent rien... C'est à ses grandes mains carrées, qui lui avaient montré les gestes de la chasse et de la pêche, qui avaient su dénicher les anguilles et étouffer l'esturgeon, qu'il reconnut André.

Il ne marqua aucune émotion, mais ses yeux prirent un éclat inhabituel.

— André... Je savais qu'on se reverrait.

Ils se contemplèrent un long moment, la joie au cœur, fiers de se retrouver l'un l'autre si mâles, si sérieux, eux qui s'étaient quittés encore enfants.

André avait maintenant vingt ans, et le visage d'un homme sur lequel les épreuves avaient déjà creusé des rides. Ses yeux noirs s'étaient durcis, mais en cet instant ils n'exprimaient qu'une émotion mal contenue, et toujours ce féroce appétit de vivre, cette détermination inébranlable où Antoine avait jadis puisé des forces. Et son sourire restait empreint de la même bonté.

Caps s'était discrètement éclipsé, prétextant qu'il fallait fêter ces retrouvailles. Aucun des deux ne remarqua qu'il était resté parti plus longtemps que nécessaire pour rapporter un pot de café et des cigarettes. À son retour, ils parlaient de tout et de rien, de façon décousue, avec beaucoup de phrases inachevées, des silences qui s'achevaient sur des fous rires, à la suite de quoi ils parlaient tous deux en même temps, et s'interrompaient à nouveau. Ils avaient trop à penser, à sentir. La timidité des retrouvailles fondait comme la neige au grand soleil et s'effaça tout à fait quand Caps se mêla à leur conversation.

– Alors, Antoine ! Que dis-tu de ça ? T'attendais-tu à cette visite ?

– Monsieur Caps ! Je ne sais pas si je vous excuse de m'avoir caché ça ! répondit, menaçant, le jeune homme, sans parvenir à dissimuler son hilarité.

Mais Caps redevenait sérieux :

– Il y a une bonne raison à cela, Antoine. Personne ne doit savoir qu'André est là, je dis bien personne. Tu es le seul, avec moi, à connaître son retour.

Antoine les regarda tour à tour, d'un air interrogateur. Il commençait à entrevoir la vérité.

— André n'a rien à se reprocher, lui expliqua Caps. Mais il est là en secret. Il fait partie du réseau, vois-tu. Il travaille à Paris, où il est l'un de nos principaux chefs. Il a besoin de garder l'anonymat.

André prit le relais :

— J'ai changé de nom, Antoine. Même ma mère ne sait pas que je suis revenu. Il faut la protéger. Je préfère qu'elle continue à me croire aux Amériques, pour le moment. Ma vie a basculé, depuis le jour où mon père m'a envoyé à la grande pêche. C'est comme ça. On ne refait pas l'histoire.

André semblait exprimer une certaine résignation. Comme si la vie s'était imposée à lui, sans qu'il ait pu rien faire contre le destin. Ce n'était pourtant pas un fataliste. Tout ce qu'il avait vécu, durant ces dernières années, prouvait le contraire.

— Mais racontez-moi un peu tout ça. Je ne comprends rien. Tu t'en es donc tiré ? enchaîna Antoine, évoquant le naufrage du *Louise-Emmanuel*.

Antoine voulait tout savoir. Ils s'installèrent confortablement.

— C'est une extraordinaire équipée, fit Caps en guise d'introduction.

— Nous étions quatre dans un doris, au moment du naufrage, plus le chien du matelot saleur, commença André. Puis on a récupéré *in extremis* deux gars qui allaient se noyer dans les eaux glacées.

Son regard s'était assombri. Il parlait calmement, mais ses mains crispées sur son verre de café en train de refroidir trahissaient son émotion.

– Il fallait faire vite. On n'a pas eu le temps d'embarquer des vivres et du matériel. Après deux jours de mer, l'un des deux gars est mort. Il avait pris un mauvais coup. Il ne s'est pas remis de son séjour dans l'eau froide. Nous, on a tenu presque quatre jours, puis on a mangé le chien. Même le matelot saleur en a pris sa part, mais après il geignait sans arrêt. Il n'arrêtait pas de répéter qu'on ne s'en sortirait pas. Le septième jour, un coup de vent a cassé le gouvernail. Les courants nous ont fait remonter vers le nord-ouest et on a réussi à accoster un énorme glaçon trois jours plus tard. Il nous a sauvé la vie : avec nos « caqueux », on a pu en détacher des morceaux, et on les a sucés pour calmer cette satanée faim qui nous avait repris et surtout la soif qui nous serrait la gorge. Le deuxième gars n'a rien voulu écouter, il s'est précipité sur les glaçons. Il en a bouffé à s'en faire crever. Trois jours après, il était mort.

Antoine, horrifié, écoutait sans un mot. Caps, qui avait déjà entendu ce récit, avait posé son verre et écrasé sa cigarette. André poursuivit :

– Le treizième jour, on était en train de dériver, tous les quatre couchés au fond du doris, quand Dagorne, un de mes compagnons, a eu l'idée d'élever sa tête au-dessus des plats-bords. À quelques encablures, une goélette de type américain venait à notre rencontre.

André confirma qu'il s'agissait de contrebandiers, qui faisaient le trafic d'alcool entre l'Amérique toute proche et Saint-Pierre-et-Miquelon. Ils le gardèrent en otage pendant deux ans, et lui imposèrent des conditions de vie proches de l'esclavage. Il réussit à s'enfuir, et s'embarqua sur un voilier de commerce qui faisait la ligne Boston-Le Havre.

Antoine pensa : « Finalement, ses parents ne se trompaient pas complètement. »

Du Havre, André avait gagné Paris, pour tenter sa chance. Il était devenu charretier dans une société de transport de pierres, soumis à la tyrannie vulgaire d'un patron odieux. Un nouveau riche, qui s'engraissait sur le dos de ses ouvriers. Son parcours, au fond, avait été assez semblable à celui d'Antoine : il en avait trop vu, n'en pouvait plus de sa condition et avait décidé de lutter. André fit un sourire à Antoine :

– Maintenant, je m'appelle Louis, Emmanuel Louis. Un peu comme ce satané bateau. J'ai rejoint le réseau en entrant à la compagnie des omnibus de Paris.

Mais Antoine n'en avait pas fini avec ses questions ; il les regarda alternativement, cherchant ses mots :

– Et comment tu... Vous... Enfin, je veux dire, pourquoi es-tu à Bègles aujourd'hui ? Je ne comprends rien. Et vous, Caps, comment l'avez-vous retrouvé ?

Caps se tourna vers André avec, dans le regard, la fierté d'avoir fait revenir à Bègles, chez lui, ce jeune homme prometteur, devenu son complice politique, et l'outil de son grand dessein.

— André est l'un des principaux animateurs du réseau de lutte que j'ai souvent évoqué devant toi, Antoine, reprit Caps. Nous avons parlé de toi. Il a voulu te revoir.

— Tu sais, Antoine, tu m'as beaucoup manqué. Mais je pensais qu'il valait mieux te laisser tranquille. Tu as des frères et sœurs encore jeunes. Tu n'étais pas obligé de suivre la même voie que moi. J'ai su ce qui était arrivé à ton père, bien sûr. Je pense souvent à lui. Il n'a pas été soutenu. Quand Caps m'a dit que tu marchais dans ses traces, je n'ai plus hésité, d'ailleurs, j'avais trop envie de te revoir. Je suis venu te dire que tu n'es pas seul, et que tu peux compter sur moi.

Il fit une pause, et chercha les mots justes.

— Les ouvriers ont besoin de gens comme toi et moi, tu comprends. Tous ces malheureux qui abandonnent leur jardin et leur carré de vigne, en croyant que l'usine leur rendra la vie plus aisée, ils ont besoin d'être défendus. Ce n'est pas facile. On bataille contre plus fort que nous. Ça ne va pas sans risques. Moi, je suis à Paris, mais M. Caps t'aidera à trouver les bons arguments. C'est un peu comme une guerre : on se mêle à toutes les discussions, mais il ne faut pas s'exposer. Recrute des gens sûrs, évite comme la peste les mouchards, envoyés et payés par les patrons. Tu n'imagines pas ce dont ils sont capables. Il faut être fort et prudent. Mais on peut faire de grandes choses.

André s'interrompit, jugeant qu'il en avait assez dit et regarda son ami droit dans les yeux :

— D'accord, Graveille ?

Antoine n'hésita pas une seconde. Ils se serrèrent la main avec effusion, avec le même sourire que lorsqu'ils avaient réussi à chiper des prunes au père Taffart.

— L'époque est à l'action, reprit André sur un ton solennel. Partout, les ouvriers commencent à remuer, il suffirait d'un rien pour que tout éclate. Agite, Antoine, agite !... On se reverra bientôt.

André disparut dans la nuit béglaise.

Investi de ses nouvelles responsabilités, regardant la porte ouverte sur la nuit, Antoine se sentit grandi. Ce soir, il ne doutait pas de son succès, et sa vie prenait un sens.

Chapitre 17

Les événements ne tardèrent pas à solliciter Antoine.

En ce dimanche de mai 1848, comme de nombreux autres Béglais, il s'était attablé à la guinguette de Vidalenc, au Petit-Port, pour la fête patronale des Feux de Garonne. Il fréquentait les estaminets, lieux de réunion obligés des ouvriers. Mais il ne buvait pas. Si on le chamaillait sur ce sujet, il ne se faisait pas prier pour accepter un verre de vin, dans lequel il trempait ses lèvres. Il avait appris à ses dépens sur l'*Arbonnaise* que les buveurs d'eau étaient mal vus, et il ne pouvait tout de même pas débiter ici le boniment qu'il avait servi au cuistot du bateau. Alors, il donnait le change.

Depuis des décennies, chaque dernier dimanche de mai, on célébrait, à Bègles et dans quelques autres communes riveraines, les tours à feu plantées au bord du fleuve, qui avaient servi de repères aux navigateurs par temps de brouillard ou dans la nuit, au cours des siècles passés. On les rallumait pour l'occasion. La fête durait toute la journée et toute la nuit. Elle s'ouvrait sur une messe de Requiem, à l'église Saint-Pierre, mais le clou de la soirée, c'était une gigantesque bagarre entre les hommes les plus ivres du village, devant la guinguette de Vidalenc. Le vin coulait à flots dans les bistrots et les estaminets, les quartiers organisaient des jeux, concours de toupies, qu'ici on appelait les « pimbes », pour les enfants ; jeu de la poêle, qui réclamait une grande habileté : tout le monde n'était pas capable d'aller décoller des dents et de la langue le sou qui avait été solidement collé dans la graisse au fond de la poêle ; tournées de belote où les poings cognent sur les tables en abattant les cartes maîtresses ; compétitions de quilles qu'il faut abattre avec une barrette de bois, ronde, que l'on attrape comme un haltère. Un jeu qui remonte à des temps immémoriaux, sans doute venu du Pays basque, et auquel André Bellard, avant qu'on ne le revoie plus à Bègles, était si habile qu'il gagnait le concours à tous les Feux de Garonne...

André occupait les pensées d'Antoine depuis cette rencontre extraordinaire chez Caps. Comme il avait promis le secret absolu, il s'était interdit d'en parler à Marthe. Ce n'était pourtant pas l'envie qui lui en manquait. Il avait mauvaise conscience à lui cacher une chose aussi importante. Depuis qu'ils se connaissaient, il partageait tout avec elle.

Marthe était là, à ses côtés, riant à gorge déployée, avec quelques amies venues du quartier de la Grande-Ferrade, où elle habitait avec ses parents. Il la regardait avec amour et grillait d'impatience de tout lui avouer. Il savait qu'il ne pourrait pas tenir très longtemps sa promesse.

Il lui faudrait aussi parler bientôt à son amie de tout autre chose. Depuis plusieurs mois, son amour tout platonique des premiers temps avait pris une coloration nouvelle, qui, sans le rendre moins respectueux, lui avait donné une profondeur qu'il ne soupçonnait pas auparavant. Marthe avait trop de charme pour qu'il ne s'aperçût pas un jour du trouble qu'elle éveillait en lui, dans certaines occasions où elle lui parlait les yeux dans les yeux, ou quand ils restaient silencieux un moment, au bord de l'eau. Marthe était maintenant une belle jeune fille de seize ans, qui s'épanouissait de jour en jour. Elle tenait toutes les promesses de sa première adolescence. Ils se connaissaient bien, maintenant, et la jeune fille abandonnait parfois un peu de sa réserve et de sa pudeur auprès de lui. Tout naturellement, elle s'allongeait dans l'herbe haute des bords de l'eau, mordillait des brins d'herbe, ou l'agaçait avec une paille quand il paraissait ailleurs, sans qu'aucun de ces gestes fût jamais vulgaire ou consciemment provocant.

En trois ans, depuis qu'il était revenu de Terre-Neuve, l'esprit de la fête avait changé. Les gens ne s'amusaient plus de la même façon. Ils buvaient beaucoup plus, en particulier ceux qui avaient abandonné les champs pour travailler comme ouvriers au moulin de Mazières. Il ne restait que les pêcheurs de la Garonne pour entretenir la tradition et l'esprit des « Feux ». Sur eux, le temps n'avait pas eu de prise.

Antoine revit ses aventures sur le fleuve avec André, ses balades interdites vers le port de la Lune, les récits de Villetorte dans les senteurs de la rue de la Rousselle, ses rêves de grand large... La fuite du temps et son œuvre destructrice lui étaient familières. Mais il avait maintenant compris une vérité fondamentale : rien n'était inéluctable, et, par ses efforts, un homme, bien entouré, pouvait inverser la tendance des choses ; le temps était l'espace du changement, il consommait la ruine, ou s'ouvrait sur l'espérance. C'était affaire de volonté.

Ragaillardi, il décida d'offrir une tournée à Marthe et à ses amies. Un certain Potel, tout nouveau venu de l'usine de Mazières, vint les servir. Depuis quelques semaines déjà, Antoine se méfiait de celui-là, venu d'on ne sait où. Il le soupçonnait d'être l'espion et le porte-voix du patron. Au milieu du bruit et des rires, il l'entendait placer judicieusement un mot ou un autre, assez discrètement pour que cela passât auprès des ouvriers pour un bon mot, inspiré par le désir de calmer les esprits échauffés par l'alcool. Antoine, mis en garde par André, vit tout de suite le piège. Les ouvriers, à Paris comme à Bègles, commençaient à réclamer un jour chômé en plus du dimanche. On en parlait beaucoup ce jour-là, chez Vidalenc.

Antoine attira l'attention de Marthe sur le manège de Potel, qui circulait entre les tables, et ponctuait son service de phrases bien senties : « Les voilà qui refont le monde ! À la prochaine tournée, je vais les retrouver sur la Lune ! » ou : « Ah ! ceux-là croient qu'ils vont s'enrichir plus vite en chômant le lundi. En attendant, par ici les sous ! » Antoine chuchota à l'oreille de Marthe, sans pouvoir s'empêcher de respirer au passage le chaud parfum qui émanait de sa chevelure :

— Ce salaud en profite, ces têtes grisées sont incapables de réfléchir tellement elles ont bu. Écoute-le, il a l'air brave et tout, mais écoute bien comme il les décourage, comme il les renfonce dans leur sentiment de médiocrité !

Marthe, gardant sa tête tout contre celle d'Antoine, observa encore un instant Potel. Puis elle souffla :

— Tu as raison. C'est un homme de Mazières.

Potel répétait sa leçon entre les verres, avec une inlassable conviction. Des trognes rougies, aux yeux trop brillants, de plus en plus nombreuses, opinaient doucement à ses propos. Ses mots semblaient pénétrer sans difficulté les cervelles incultes et imbibées. L'hypocrisie de ce serveur d'occasion commença à irriter Antoine. Il glissa à l'oreille de Marthe :

— Regarde comme ce type est prompt à remplir les verres sans y être invité. Écoute avec quelle voix de curé il endort ces malheureux. Non seulement il leur prend leur argent, mais en plus il les endoctrine en leur faisant croire qu'un jour chômé c'est davantage de pauvreté ! Ça me rend fou, ce sale mouchard. Il faut que je fasse quelque chose. Lui casser la gueule ? Ça ne servirait à rien.

Marthe leva vers lui des yeux confiants.

– Lève-toi, et parle-leur ! lança-t-elle avec feu.

Il la regarda, éberlué par une telle audace. Ce qu'il découvrit d'attente et d'énergie dans ces yeux bleus, plus quelque chose d'autre qu'il n'y avait jamais vu, le décida. Il était prêt. Ses idées étaient maintenant assez claires. Il ne craignait pas de se ridiculiser. Chaque fois que l'envie de parler en public lui était venue, une angoisse insoutenable lui avait tenaillé l'estomac, son cœur s'était mis à tambouriner dans sa poitrine, sa langue était restée collée à son palais. Cette fois, il ne recula pas.

Il vida son verre, et se leva lentement, déployant sa haute taille. Il fallait frapper un grand coup pour attirer l'attention de cette assemblée indifférente, abrutie. En un éclair, il sut comment s'y prendre. Sa voix jaillit, puissante, grave. Ses paroles emplissaient maintenant la buvette et couvraient les conversations, qui s'arrêtèrent :

– Dis donc Potel, ce que tu nous sers, c'est du vin ou des boniments ? Ou l'un en plus de l'autre, pour le même prix ?

Un silence de mort planait dans la salle enfumée. On joua des coudes pour voir ce qui se passait.

Antoine attendit, mais aucune réaction ne vint. Alors, il poursuivit :

– On fait une bonne affaire, les gars. On a la leçon en plus de la boisson. Comme ça, Potel, il ne faudrait pas chômer le lundi ? Vous ne voyez donc pas que ce type essaie de vous endormir, qu'il n'est que le porte-voix du patron ?

Beaucoup, à ces mots, plongèrent le nez dans leur verre. Un agitateur. Rien d'intéressant. Mais même ceux-ci ne purent s'empêcher d'entendre la suite. Antoine était debout, sûr de lui. Les mots lui venaient naturellement, l'ironie aussi.

– Enrichissez-vous donc, travaillez encore plus dur. Fatiguez-vous bien, ça endurcit. Tellement qu'on finit par laisser son bras sous la meule. Bon Dieu, on travaille douze heures tous les jours, on donne tout notre temps. Ça, on est payés ! De quoi faire bombance tous les jours !

Antoine sentit un murmure sourd répondre à sa harangue, une sorte d'approbation, timide et craintive, retenue sous le couvercle de la lâcheté.

Sans demander son reste, Potel regagna l'arrière-salle d'où, au bout de quelques instants, fit irruption Vidalenc, écarlate de colère. Personne, jusqu'à ce jour, n'avait osé parler de politique chez lui. C'était une règle. Il s'estimait trahi par Antoine.

– Monsieur Graveille-fils, lui lança-t-il avec hauteur, je ne dirai rien pour cette fois parce que je t'ai connu marmot, quand tu conchiais encore tes culottes, et parce que j'aimais bien ton père. Mais

sache que chez moi, on ne fait pas de politique...
Allez, oust, fit-il en tendant le bras en direction de la
porte.

Blessé, Antoine se redressa, bien planté sur ses
jambes. Il n'avait pas du tout l'intention de partir :

— Je ne fais que m'adresser à mes compagnons,
monsieur Vidalenc, moi, personne ne me paye pour
parler !

Marthe s'empara avec fougue de sa main, et la
pressa de façon éloquente. Elle le regardait intensé-
ment, elle buvait ses paroles. Il sentait le parfum de
sa peau, attirant comme les odeurs de la rue de la
Rousselle. Elle était tout près de lui. Une ivresse
inconnue le gagnait, virile et émouvante comme une
houle. Il reprit :

— Sommes-nous des gens libres, oui ou non ?
Répondez, bon Dieu, demandez à Vidalenc ce qu'il
a tant à craindre de ce que j'ai à dire.

La salle se mit à murmurer, à gronder. Les
langues commencèrent à se délier.

— Laisse-nous tranquilles !

— D'où sort-il, ce gars-là ?

Quelques-uns, même, se levèrent pour partir
avant d'être mêlés à une sale histoire. Mais d'autres
se montraient encourageants :

— Vas-y, parle, Graveille, tu as raison.

— C'est bien le fils de son père, un type qui
n'avait pas froid aux yeux.

— On vous en demande toujours plus, reprit
Antoine avec force. Des gens comme Mazières, ça

vous fait suer jusqu'au sang, ne les écoutez pas. Il faut résister. Vous êtes libres, libres d'aider vos femmes ou de travailler en plus le lundi, pour votre compte, pour mettre de la viande dans la soupe...

Il revit sa mère peiner sous la charge, les mains violettes d'avoir battu le linge de toutes ses forces. Il se laissa emporter par cette image :

— ... libres de leur brouetter leur lessive.

— Eh, Graveille, lança un gars des sécheries, bien éméché, on peut aussi leur brouetter autre chose que la lessive à nos femmes, non ?

Toute l'assistance partit d'un grand éclat de rire.

— Bien sûr ! Et c'est même recommandé, répondit Antoine sans se démonter. Vous êtes aussi libres de rouler votre tabac, d'aller à la pêche en Garonne, sans avoir de comptes à rendre à personne. Des douze heures d'affilée, à user vos forces, pire que des bêtes ! Et si vous arrivez en retard de quelques minutes, c'est votre heure qui est perdue. De l'esclavage, je vous dis, de l'esclavage. Pour le bénéfice de qui ?

Antoine semblait immense. Son autorité naturelle fit taire les parleurs. Il s'exprimait avec clarté et plongeait son regard bleu dans les yeux de son auditoire, qui voyait avec stupéfaction naître un tribun ouvrier. Les visages étaient graves, attentifs. Maintenant, tout le monde écoutait Antoine :

— Ne croyez plus aux belles paroles de ceux qui travaillent contre vos libertés et qui s'enrichissent sur votre dos. Plus le diable possède, plus il veut posséder ! C'est ça, la vérité. Tout le reste n'est que mensonge...

Il prenait sa respiration pour continuer, quand un homme aux cheveux noirs, épais et sales, se leva. Tous les regards convergèrent dans sa direction. Il n'avait pas pris la peine de s'endimancher pour la fête, comme tous les autres. Ses habits lui donnaient l'allure d'un vagabond. Connu de tous pour son mauvais caractère, il était surnommé « gueule noire ». À Bègles comme au « Moulin », il avait mauvaise réputation. Il vivait seul dans une masure du Haut-Espouey, où personne ne s'aventurait et où, de toute façon, il n'aurait laissé entrer personne ! Il vivait comme un ours et parlait comme un ours.

— Dis-moi, Graveille, lança-t-il de sa voix bougonne, si Mazières n'avait pas viré ton père, lui aussi, il serait devenu un patron et tu ne serais pas là à cracher sur eux et à vouloir nous défendre quand on ne te demande rien...

Surpris que l'on s'en prenne à la mémoire de son père de cette façon outrageante, Antoine lui coupa net la parole :

— Si Mazières n'avait pas spolié mon père, s'il ne lui avait pas volé son invention, les ouvriers du « Moulin » auraient été ses associés. Aujourd'hui, nous serions une coopérative et nous répartirions nos bénéfices entre nous.

— On dit toujours ce qu'on aurait fait quand c'est fini, reprit, narquois, « gueule noire ». Ton père, l'Abel, il aurait été comme les autres. Il aurait fait comme eux.

Antoine ne voulait pas gâcher son premier succès, en se laissant emporter par la colère. Il choisit de ne rien répondre. Ce courage-là acheva de conquérir Marthe : elle eut un geste sublime, au moment de franchir le seuil. Sachant que les regards étaient encore tournés vers eux, elle les ignora ostensiblement, et, prenant la tête d'Antoine entre ses mains fines, l'inclina vers ses lèvres. Ce fut leur premier baiser d'amoureux.

Ce soir-là, ils s'aimèrent pour la première fois, sous le grand saule qui dominait le ponton abandonné des Bellard.

Les jours suivants, personne ne reparla à Antoine de ce qui avait pris l'allure d'un événement. Caps, informé de la prouesse de son protégé, attendit qu'il vînt lui rendre visite pour le féliciter de cette fracassante entrée en scène.

– Merci, répondit Antoine calmement. Mais en attendant, ça n'a servi à rien. Un coup d'épée dans l'eau, voilà ce que c'était.

Caps sourit devant tant d'impatience :

– Il faut attendre que la semence germe, parce que tout le monde n'est pas, comme toi, avide d'idéal. Même s'ils t'ont compris et approuvé, es-tu sûr que ceux qui t'écoutaient étaient libres de montrer leurs convictions ? Tous ces malheureux ne pensent qu'à une seule chose : gagner leur pain de chaque jour.

Antoine restait déçu. Caps lui fit remarquer :

— Personne n'est venu à toi, mais on en parle, de ta harangue. L'histoire a fait le tour de Bègles. Tu vas voir, les choses ne vont pas tarder à bouger.

Il ne croyait pas si bien dire. À la fin de la semaine, deux gendarmes se présentaient à Louise.

— Nous voulons voir Graveille Antoine, fils de Graveille Abel, fit d'un ton solennel le plus âgé. Savez-vous où il se trouve ?

Paniquée à l'idée qu'on lui arrache son aîné, Louise commença par secouer la tête, mais se reprit devant l'air sévère des deux pandores.

— Il est allé à la corvée d'eau, là-bas, à l'estey, fit-elle en montrant la direction de la Garonne d'un doigt tremblant.

Elle maudissait ceux qui avaient empoisonné la cervelle de son fils avec ces idées révolutionnaires. À cause d'eux, le malheur revenait dans la maison.

Les gendarmes trouvèrent Antoine en train de remplir les seaux d'eau en compagnie de sa sœur Catherine et de son petit frère Luc.

— Dimanche dernier, à la guinguette du Chant du Coq, vous avez tenu des discours qui pourraient vous donner à réfléchir s'il vous venait l'idée de continuer, fit le chef d'un ton grave.

— Nous voulons bien admettre que vous étiez ivre, ajouta le second.

– Non, je ne l'étais pas, répondit Antoine sans attendre. D'ailleurs, je ne bois jamais.

– Pas comme ton père, fit le chef entre ses dents.

– Vous pouvez répéter ce que vous venez de dire ? demanda Antoine en le fusillant du regard.

– Vous avez proféré des menaces contre une personnalité de notre ville, se contenta de répondre le gendarme. Vous avez injurié un honnête citoyen de notre commune.

– Je n'ai nommé personne.

Antoine ne se souvint pas qu'entraîné par son élan, il avait prononcé au moins une fois le nom de Mazières.

– Faux, reprit le chef, imperturbable. Nous avons des témoins.

Louise qui, du pas de sa porte, suivait la scène avec angoisse, crut que le pire était arrivé quand elle vit l'un des deux escogriffes poser sa main sur l'épaule d'Antoine. De là où elle était, elle ne pouvait pas entendre ses paroles.

– Écoute, Graveille, pour cette fois, on te laisse tranquille parce qu'on connaît ta situation familiale. On sait les efforts que tu fais pour ta mère et pour tes frères et sœurs. Mais tu serais bien avisé de ne plus te faire remarquer. Quant à Mlle Saint-Gérard, qui t'accompagnait, nous allons prévenir son contremaître, monsieur Salaberry, de la tenir à l'œil...

Antoine le défia du regard, un sourire narquois aux lèvres, de l'air de dire : « Cause toujours. »

– Ne prends pas tes grands airs, Graveille, continua le gendarme. On est bien renseignés sur toi et on sait aussi que tu n'es pas seul à préparer tes mauvais coups. On sait bien d'où tu viens et ce qu'étaient les Graveille à Auginiac. Les chiens ne font pas des chats ! En tout cas, je te préviens, les paroles que tu as tenues dimanche porteront accusation contre toi s'il arrivait, à Bègles ou dans les environs, quelque accident dû à la malveillance, soit à la personne dont nous voulons parler, soit à quelque autre ! Te voilà prévenu.

Antoine serra les poings. La menace venait directement de Mazières, chez qui les gendarmes étaient allés chercher leurs ordres. Le fourbe avait compris le danger. Comme il ne pouvait rien contre Antoine, ouvrier exemplaire au-dedans, il fallait lui imposer le silence autrement, par tous les moyens.

Les gendarmes avaient à peine tourné les talons que Louise accourait aux nouvelles :

– Alors, qu'est-ce qu'ils ont dit ? Qu'est-ce qu'ils vont faire ?

Catherine était furieuse.

– Il va encore nous attirer des ennuis. C'est pour l'histoire de chez Vidalenc. Ils lui ont dit de se tenir à carreau. Mais cette mule n'écoute personne !

Elle leur tourna le dos et partit à grands pas vers la maison. Antoine s'en attrista, mais il trouva sa récompense dans le regard admiratif du petit Luc, qui cracha par terre avec enthousiasme dans le dos des pandores.

Louise secouait nerveusement la manche de sa veste.

— Je t'avais prévenu, Antoine, tes idées feront ton malheur et le nôtre. Ah ! Tu ressembles trop à ton père, tiens ! conclut-elle avec amertume.

Elle avait lâché ce dernier trait dans l'intention de le blesser, mais il se sentit surtout chagriné que sa mère ne le comprenne pas plus qu'elle n'avait compris Abel.

Antoine dégagea sans violence son bras des mains de sa mère.

— C'est une affaire entre eux et moi, maman, entre Mazières et moi, ne t'occupe pas de ça. S'il te plaît.

Il la regarda s'éloigner, poussant devant elle avec mauvaise humeur son fils cadet. Devant ce dos voûté, cette démarche hésitante, une immense pitié l'envahit, mais il se raidit, et se dirigea seul vers la Garonne. Il avait besoin de ce face-à-face avec le fleuve.

C'est au fond de cette eau changeante que son père avait décidé de finir ses jours. Assis au bord du fleuve, il se sentait en communion avec le disparu. Il pouvait lui parler, lui dire ce qu'il avait sur le cœur. Le fleuve avait toujours eu sur lui cette influence apaisante ; il lui semblait, ici seulement, que son père lui pardonnait. « La mort n'est pas la fin de tout », se dit-il, en regardant le courant emporter les embâcles vers la mer. « Il est là, il m'entend. »

Chaque fois qu'il devait affronter une difficulté, le souvenir d'Abel lui revenait. Abel revenant ivre de son travail, les attentes interminables de Louise, soulevant son tablier pour s'essuyer discrètement les yeux en regardant vers une Caminasse désespérément vide, le « non » au marché de dupes de Soubeyran... Ombres et lumières d'un homme qui avait passé sa trop courte vie à lutter contre le poids de ses faiblesses, avec un sentiment de culpabilité si fort qu'il aurait sans doute préféré ne jamais voir le jour. Maintenant qu'il avait basculé du côté des révoltés, qu'on le montrait lui aussi du doigt, Antoine commençait à comprendre ce père miné par le doute jusqu'à s'en donner la mort. Il l'aimait.

Il finit par avouer à Marthe qu'il avait revu André, et qu'il faisait désormais partie d'un réseau de lutte dans lequel Caps jouait aussi un rôle important. Loin de lui reprocher ce choix risqué, elle l'encouragea à continuer.

Ils passèrent de longs moments à discuter d'Abel devant la *Sixtine*, à discuter et à s'aimer. Ils nourrissaient leur courage avec de l'amour, et rien d'autre.

L'épisode des gendarmes eut pour effet d'envenimer les relations d'Antoine avec Louise. En jetant à la figure de son fils sa ressemblance avec Abel, à un moment où elle commençait à fréquenter assidûment Salaberry, elle avait franchi un pas décisif. Il commença à entrevoir qu'il n'était pas seul responsable de sa relation manquée avec son père : « C'est un peu à cause d'elle que je l'ai méconnu, se disait-il, elle nous a toujours voulus bons chrétiens, bons gamins, bons camarades... »

Il continuera à s'interroger sur cet attachement obsessionnel de sa mère à la norme « bien-pensante », jusqu'à ce qu'il découvre, par hasard, dans un tiroir, sous une pile de linge, la lettre que sa grand-mère avait écrite à Louise après son départ d'Auginiac.

Chez les Graveille, entre les rancunes de Catherine et les inquiétudes de sa mère, Antoine se sentait de moins en moins à sa place. Depuis le passage des gendarmes, Louise ne vivait plus. Le moindre trot d'un cheval sur la Caminasse la faisait pâlir. « Ils viennent me le prendre », pensait-elle aussitôt. Quand il n'était pas agressif, Antoine était ailleurs, dans ses pensées, « dans son monde », disait Catherine. Louise le regardait tirer sur sa cigarette de tabac roulé, répétant les mêmes gestes que son père. Même si, dans un tout petit coin de son cœur, elle éprouvait de la fierté pour ce garçon audacieux qui n'avait peur de personne, et surtout pas de ce « salaud » de Mazières, elle ne pouvait s'empêcher de penser qu'il aurait mieux fait d'accepter son destin. Comme elle, comme ceux qui savent que la terre n'est qu'un lieu de passage, une vallée d'épreuves avant d'accéder à la terre promise aux hommes de bonne volonté.

« Amen ! » aurait répondu Antoine s'il avait pu lire dans ses pensées. Il commença, vers ce même mois de mars, à parler de s'installer sur le ponton que Mme Bellard était prête à lui céder, après la mort de son mari et le départ de son fils, qu'elle croyait toujours « aux Amériques ». Il ne se rendit pas compte qu'il humiliait sa mère et rouvrait en elle de vieilles blessures.

Chapitre 18

Antoine voulut faire un geste public, qui montrerait sa fidélité à son père, et réhabiliterait sa mémoire. Il décida de lui faire construire un tombeau, dans le cimetière de l'église Saint-Pierre.

Au-delà de la réconciliation posthume, il s'agissait aussi, pour lui, de provoquer Mazières, et de tester la fidélité et le courage des compagnons d'Abel, pour la plupart ouvriers du « Moulin ». Il se lança donc dans une campagne de souscription à travers la ville. Soit pour attiser la colère de sa mère, soit par goût de la provocation, il commença par Salaberry, qui l'envoya paître comme prévu.

— Quel plaisir trouves-tu à raviver le chagrin de ta mère ? Laisse les morts enterrer les morts. Tu n'auras pas un sou de moi, ni de ceux de la sécherie. Ici, on n'aime pas ceux qui veulent détruire la société et provoquer la misère des ouvriers.

Antoine retira son béret et, s'inclinant cérémonieusement, se contenta de répondre :

— Entendu, monsieur Salaberry, on aura l'occasion de se revoir. À votre place, je ne serais pas si sûr de moi, ajouta-t-il.

À la tonnellerie de Bazeille, où son père avait travaillé, même réception.

— Ta politique, Antoine, énonça sentencieusement le vieux tonnelier, ne fera pas bouillir ta marmite. Tu as vu où elle a mené ton pauvre père. Tu ferais mieux de rester tranquille si tu ne veux pas qu'il t'arrive les mêmes ennuis.

— Merci du conseil, rétorqua Antoine. Je m'en souviendrai.

Le premier à lui donner vingt sous fut Fernand Mouneydières, son vieux compagnon du « Moulin », qui s'était lié d'amitié pour Abel, admirant son caractère et son talent à travailler le fer.

— Tiens, petit, lui dit-il, voilà vingt sous. Si pauvre qu'on soit, on sait ce qu'on lui doit à ton père. Compte sur moi pour en parler aux autres. C'est bien, ce que tu fais, mon garçon, ton père doit être fier de toi, là où il est... Tu sais, il y en a beaucoup qui pensent comme moi sans le crier sur les toits.

Quelques jours plus tard, fidèle à sa promesse, le vieil homme apporta à Antoine une partie de sa collecte, en pièces de quatre sous et de un franc. Les yeux du vieillard pétillaient d'une joie de gamin venant de réussir un mauvais coup.

– Devine un peu ce que j'ai dans cette poche ? fit-il en agitant son pantalon de velours. Deux belles pièces de cent sous ! Tiens, regarde comme elles brillent. Et tu sais qui me les a données ?

– Non, fit Antoine étonné.

– Mazières ! Oui ! Je n'ai même pas eu besoin de le chercher. J'étais là, en train de faire ma quête au « Moulin », quand il est arrivé. Il me demande ce que je fais. « Je ramasse pour le tombeau de Graveille », je lui ai répondu sans me démonter, vu que je le connais depuis longtemps, et qu'il ne m'en impose pas. Il ne lui a pas fallu longtemps pour comprendre, à ce renard. Il a tiré son porte-monnaie de sa poche d'où il a sorti deux belles pièces de cent sous. Comédien ! Sa voix tremblait, quand il m'a dit : « Tiens Mouneydières. » Ah, celui-là, quel malin ! Tiens, prends, Antoine, ajouta Fernand en tendant la main.

Antoine, hésitant, regarda la main du vieux sans bouger, puis il la referma doucement sur les pièces de Mazières et la repoussa.

– Écoute, Fernand, je n'en veux pas de cet argent. Il te l'a donné devant tout le monde, n'est-ce pas ?

Le vieux hocha la tête en signe d'acquiescement.

– C'est de la provocation. Pas question de prendre ses dix francs. Ce serait une offense à mon père.

– L'argent qui sert aux bonnes choses a perdu son odeur ! insista Fernand.

250

– Possible, mais je n'accepte pas ce geste. C'est une insulte pure et simple.

– Je ne peux tout de même pas les lui rendre ! fit Fernand, dépité.

– C'est vrai. Tu ne peux pas te brouiller avec Mazières, reprit Antoine après un temps de réflexion. Donne-moi cet argent, je verrai ce que je dois en faire.

Mazières avait pour habitude d'effectuer lui-même la paie de ses ouvriers. Le samedi, en fin de journée, après avoir posé sa caisse métallique remplie de monnaie enveloppée en rouleaux, Mazières s'asseyait derrière une table pliante, sur laquelle son employé de bureau avait tendu un feutre vert. Suivant un rituel auquel il avait habitué son monde, il appelait par leur prénom, un par un, ses ouvriers :

– Pierre ! Fernand ! Lucien !

Les hommes s'avançaient, prenaient leurs pièces des mains du patron, les comptaient devant lui avant de retourner dans le rang : Mazières n'aimait rien tant que ce moment, où il jouissait pleinement de son pouvoir, et de la soumission de ses ouvriers.

Antoine choisit ce jour-là pour « rendre la monnaie de sa pièce » à son ennemi. Le samedi qui suivit sa conversation avec Mouneydières, Mazières égrenait ainsi les prénoms. Arriva le tour d'Antoine. Il l'appela une fois, deux fois, trois fois. Pas de réponse.

251

– Eh bien, Graveille, lança-t-il en se soulevant légèrement de sa chaise, serais-tu devenu sourd ?

Antoine sortit du groupe et s'avança vers Mazières d'un pas décidé, une lueur de défi dans l'œil. Il s'arrêta à quelques pas de la table et chercha sa voix, celle du jour de la fête des Feux, chez Vidalenc.

– Mon père, Abel Graveille, qui est mort pour la liberté de tous ceux qui sont ici, n'a rien à faire de l'argent de celui qui l'a trahi !

D'un geste théâtral, il lança sur la table les deux pièces qu'il avait gardées dans sa poche. Pendant quelques secondes, qui parurent à tous une éternité, Antoine et Mazières se dévisagèrent. Mazières baissa les yeux le premier. Pour ne pas perdre la face devant ses ouvriers, pétrifiés, mais fiers de leur camarade, il appela Potel :

– Ramasse ces pièces, lui dit-il comme on parlerait à un esclave, et va les porter au Bureau de bienfaisance. Si la Révolution n'en veut pas, les pauvres les prendront !

Puis il reprit son appel. Mais son plaisir était gâché. Un gros pli barrait son front. Il expédia le cérémonial, puis disparut à l'intérieur de son usine, bien décidé à laver cet affront.

Quelques jours plus tard, à Paris, aux premiers jours de juin 1848, les ouvriers se soulevèrent, provoquant la plus grave crise qu'avait connue le pays depuis la grande révolution de 1789.

– Ça y est, ils ont enfin compris ! lança Caps en apprenant la nouvelle, persuadé que cette « révolution » allait descendre jusqu'à Bègles.

Pendant les trois années qui suivirent, jusqu'au coup d'État de 1851, occasion pour les patrons de remettre de l'ordre dans la maison, grâce au prince-président, Antoine livra toute son énergie dans la bataille.

Ses succès furent limités. Malgré les efforts d'Antoine, secondé par Marthe à la sécherie Varet, pour éveiller les consciences, Bègles ne possédait pas de mouvement ouvrier cohérent et structuré, comme ceux des grandes villes industrielles. Courageuse comme lui, convaincante et effrontée, Marthe se heurta à l'inébranlable conformisme des employées de la sécherie. Pour toutes ces femmes, qui étaient encore des paysannes au fond d'elles-mêmes et gardaient le contact avec la terre, les mots qu'utilisait Marthe ne voulaient rien dire.

Fidèle à la promesse qu'il s'était faite, de ne jamais y remettre les pieds sinon pour y semer la bonne parole, Antoine tenta de venir la soutenir dans la sécherie. Chaque fois, il s'en vit interdire l'entrée par Salaberry, qui avait flairé le danger. Il savait tout du travail de propagande de Marthe, et ne la craignait pas. Mais il se méfiait d'Antoine comme de la peste. Il le savait intelligent et rusé, mais aussi séduisant, et grandi, aux yeux des ouvriers, par la légende de son père qui commençait à s'amplifier. Et puis, le laisser entrer dans la sécherie, c'était ouvrir la porte à un conflit qu'il ne désirait pas avec ce garçon qu'il estimait, de surcroît le fils de la femme qu'il commençait à aimer.

Pour Salaberry, Marthe n'était pas n'importe quelle employée. Il s'intéressait à elle, mais pas de la même façon qu'aux autres jeunes femmes de la sécherie. Marthe Saint-Gérard était tout le portrait d'une très jeune femme, qu'il avait connue avant d'embarquer pour la grande pêche. Une certaine Marguerite. Marthe lui ressemblait trait pour trait, « à tête coupée », comme aurait dit sa vieille mère.

Et puis, c'était la première de ses employées qui eût osé soutenir son regard. Quand elle se présenta à lui pour demander une embauche, Salaberry resta cloué sur sa chaise, comme si un coup de poing dans l'estomac lui avait coupé le souffle. Son regard se fixa sur le visage de la jeune femme avec une telle intensité qu'elle ressentit un trouble mêlé de dégoût. On lui avait dit de se méfier de Salaberry, « un homme à femmes qui pose son regard sur les plus belles, et tente de les séduire, même par la force ». Comprenant qu'elle lui plaisait, mais bien décidée à lui montrer qu'avec elle, il n'avait rien à espérer, elle lui rendit son regard sans ciller.

Il aima aussitôt cette arrogance, qui lui ressemblait, et seyait à cette jeune femme brune. Il embaucha Marthe à la sécherie et l'affecta au brossage des morues.

Cela s'était passé juste après la mort d'Abel. Salaberry n'avait alors qu'une idée en tête : conquérir le cœur de Louise. Sa compassion pour cette femme, dont la beauté avait résisté aux stigmates du travail et de la pauvreté s'était transformée progressivement en amour. Un amour d'homme mûr, qui n'avait rien à voir avec les passions de sa jeunesse.

Louise représentait le port dont il ne partirait plus. Il voulait avec elle une relation durable. Toutefois, il n'envisageait pas de la demander en mariage : toute tentative de ce genre le condamnerait à quitter Bègles. Varet était trop respectueux des règles de son milieu pour accepter un tel écart de la part de son contremaître : « Qu'il fasse ce qu'il veut chez lui, mais qu'il soit irréprochable aux yeux du monde », tel était son avis. De toute façon, Salaberry n'avait plus la force de rompre une nouvelle fois avec son milieu social. Pas par défaut d'amour pour Louise, mais parce qu'il avait trop souffert de l'ostracisme de ses pairs, à son retour du Groenland.

Et Louise avait cinq enfants. Il voulait bien l'aider à les élever, mais pas remplacer leur père. Son goût de la liberté n'allait pas sans un soupçon d'égoïsme. Il voulait Louise, mais n'avait pas envie d'une vie de famille. Toute son angoisse était de savoir si elle accepterait ce mode de vie, sans doute hypocrite, mais tellement confortable !

Marguerite choisit ce moment de la vie de Salaberry pour ressurgir, sous les traits de Marthe.

Il avait connu Marguerite chez ses cousins Legasse, armateurs connus de Bordeaux, juste avant de s'embarquer. Elle y était femme de chambre, une très jeune brune, piquante, à qui il avait promis le mariage. Elle s'était laissé séduire. Puis il était parti vers les mers froides, avait connu son Esquimaude. Et Marguerite avait disparu de sa vie.

Quand il revint à Bègles, quelque douze ans plus tard, pour travailler chez Varet, il se souvint de ce premier amour, en eut des remords. Un temps, il songea à la retrouver, à s'assurer qu'elle ne manquait de rien, mais, trop marqué par la blessure du Groenland, il n'eut pas le courage d'affronter son passé. Inutile de gratter de vieilles cicatrices. Le temps passa, et il n'y songea plus. Mais il suffit de chasser le passé pour qu'il vienne se rappeler à votre bon souvenir, au moment où vous ne voulez surtout pas en entendre parler. Marthe vint chercher du travail à la sécherie et ce fut comme de dénouer le ruban fané qui entoure un paquet de vieilles lettres d'amour.

Il était mélancolique, préoccupé. Il avait un faible pour elle. Il attendait de la voir arriver à la sécherie, le matin, pour la saluer. Il essayait de se montrer aimable, mais dépensait en pure perte des trésors d'amabilité : elle le soupçonnait tantôt de la surveiller, de guetter son heure d'arrivée pour la prendre en faute, tantôt de nourrir des desseins peu honorables à son égard. Il confondait Marthe et Marguerite, se sentait mal à l'aise. Marqué par son vieux fond d'éducation religieuse et sa peur de Dieu, il crut un temps à une vengeance divine : « C'est Dieu qui m'a envoyé cette petite, pour me punir d'avoir lâchement abandonné Marguerite », se répétait-il, jusqu'au jour où lui vint l'idée d'opérer un rapide calcul.

Mais alors, des tourments bien plus terribles l'assaillirent. Après tout, elle avait environ quinze ans. « Ça coïncide. » Ces sourcils épais, réunis en dessus du nez, ces yeux, d'un bleu limpide, il les voyait chaque matin dans son miroir avant de les observer à la sécherie.

Il essaya de rester calme. Il fallait d'abord être sûr.

Le plus simple était de commencer par interroger la jeune fille. Il la fit venir dans son bureau, chercha comment entamer la conversation avec ce jeune chat hérissé. Découragé par le regard venimeux qu'elle lui décocha, il choisit de ne pas tergiverser :

— Quel âge as-tu, Marthe ?

— Quinze ans, monsieur, répondit-elle.

Il réfléchit un instant. Bien sûr, elle portait un autre nom. Salaberry connaissait les Saint-Gérard. Mais c'était la seule enfant, et elle ne ressemblait ni à l'un, ni à l'autre. Il fallait avancer prudemment. À supposer qu'elle ne fût pas leur fille, comment le saurait-elle ?

— De quel quartier es-tu, Marthe ?

— De la Grande-Ferrade, monsieur.

Mal à l'aise, il ôta son béret, qu'il posa sur la table entre elle et lui. « Si je continue à l'interroger comme ça, elle va se demander ce que je lui veux », songea-t-il. Néanmoins, il poursuivit :

— Tu ne connaîtrais pas une certaine Marguerite, par hasard ?

— J'en connais plusieurs, monsieur, répondit-elle sèchement.

Elle hésita quelques secondes puis, posant ses deux mains sur la table pour se donner plus d'assurance, reprit :

— Pourquoi me posez-vous toutes ces questions, monsieur ? Pourquoi voulez-vous savoir tant de choses, on vous a dit du mal de moi ?

— Pas du tout, rétorqua aussitôt Salaberry, ne sachant comment protester de sa bonne foi et de ses honnêtes intentions. Tu es une bonne ouvrière.

Il n'alla pas plus loin, et remit son béret sur la tête, ce qu'elle interpréta comme le signe que l'entretien était clos. Elle se leva, lui jeta un dernier regard soupçonneux, et s'en fut sans demander son reste.

Salaberry avait fait chou blanc. Le curé Moustey lui en dirait peut-être davantage. Ses registres paroissiaux, à la date du 27 mai 1832, indiquaient le baptême d'une petite fille, prénommée Marthe, nom : Saint-Gérard, « supposée être née le 29 juillet 1831, jour de la Sainte-Marthe ». À la lecture du mot « supposée », il se sentit pris d'un malaise et demanda une chaise au curé.

– Qu'est-ce que ça veut dire ? demanda-t-il à l'abbé Moustey en montrant du doigt le registre.

– Que cette enfant a probablement été abandonnée par sa mère le jour de sa naissance, répondit du tac au tac le vieil homme. Mais je connais bien les Saint-Gérard. Ils ont leur fierté, comme Marthe, ils ne vous diront rien et jureront leurs grands dieux que la petite est leur fille. Ils n'ont jamais pu avoir d'enfants. Vous imaginez ce qu'a pu représenter l'arrivée de la petite Marthe dans leur foyer ! Ils se damneraient pour elle, tellement ils y sont attachés.

Moustey ferma son lourd registre paroissial et le replaça dans l'armoire de la sacristie, à côté des autres, qui racontaient l'histoire de Bègles depuis le XVIe siècle. Il donna deux tours d'une clé qu'il glissa ensuite dans sa soutane.

– Si vous voulez en savoir un peu plus sur cette petite, dit-il d'un air entendu, allez donc voir les sœurs du couvent du Bon-Secours.

Salaberry ne répondit pas. Une question lui brûlait les lèvres, mais il ne savait pas comment la tourner.

– Monsieur le curé, fit-il tout timide, vous avez une idée de qui aurait pu être sa mère ?

– Ah, ça ! monsieur Salaberry, je n'en ai pas la moindre idée !

Il éclata de rire devant l'incongruité d'une telle question, mettant Salaberry dans une position de plus en plus inconfortable. Le vieux curé n'éprouvait-il pas un certain plaisir à le voir en si mauvaise posture ? Et voilà qu'il ajoutait, non sans une pointe de perfidie :

– Quand bien même je le saurais ! Si la mère qui a abandonné cette enfant était venue se confesser à moi, croyez-vous que je romprais pour satisfaire votre curiosité le secret de la confession ?

Il lui jeta un regard narquois.

– Nous autres, gens d'Église, ajouta-t-il, nous en savons quelque chose des secrets de nos ouailles, les plus nobles comme les plus lâches... En tout cas, je n'ai aucune pitié...

Il sourit doucement :

– Je sais que ce sentiment n'est pas très chrétien ! Aucune pitié pour celui qui a lâchement abandonné la mère de cette petite Marthe, et l'a poussée à ce geste sans retour... Mais au fait, conclut-il, d'un air faussement candide, sait-il lui-même qu'il lui a fait un enfant ?

Il souffla dans sa pipe, qu'il venait de sortir de sa soutane avant de la bourrer d'un gros gris bon marché. Cela fait, il attrapa Salaberry par le bras, et lui dit bien en face :

– Ce n'est pas à un homme comme vous que de telles histoires arriveraient, monsieur Salaberry. Votre foi vous protège contre de tels errements... À ce sujet, j'aimerais vous voir un peu plus souvent à Saint-Pierre, le dimanche matin !

Moustey retourna dans son église, laissant Salaberry seul avec ses remords. Ce maudit curé ! Il semblait avoir lu dans sa vie et dans ses pensées. « Il sait, mais il veut me punir. »

Après cette visite, Salaberry évita Marthe, à la sécherie. Il ne supportait plus de croiser son regard. Le malheur voulut qu'elle fût la seule à avoir le courage de l'affronter pour discuter des conditions de travail des employées de la sécherie.

Contre son gré, il dut la rencontrer tous les jours. Chaque discussion, chaque jour qui passait le renforçaient dans son sentiment de paternité, et accentuaient sa douleur.

Il se résolut à rendre visite aux sœurs du couvent de Bon-Secours. Elles lui confirmèrent qu'un nouveau-né, une petite fille, avait été déposée, le 29 juillet 1831, jour de la Sainte-Marthe. La mère supérieure du couvent, la sœur André-Marie, lui raconta comment les Saint-Gérard étaient venus chercher l'enfant, l'avaient aussitôt reconnue comme leur fille, à la mairie, et fait baptiser par le curé Moustey sous leur nom. Il n'obtint, en revanche, aucun renseignement sur celle qui avait déposé l'enfant. Comment la sœur André-Marie aurait-elle pu lui dire quoi que ce soit, puisque les abandons d'enfant au couvent étaient toujours anonymes ?

Il n'alla pas chez les Saint-Gérard. Face à des gens si attachés à celle qui était devenue leur fille, toute démarche visant à revenir sur le passé et à remettre en cause leur lien de parenté avec Marthe aurait été un échec.

Et Salaberry ne voulait pas prendre le risque de faire souffrir « sa » fille, car il était maintenant convaincu que Marthe était bien sa fille. Elle devait être protégée.

Chapitre 19

Fidèle à son engagement, Salaberry protégea Marthe aussi longtemps qu'il le put. Il ne ménagea pas sa peine pour la sauver de situations difficiles. Elle n'en sut rien.

Antoine et elle obtinrent tout de même, à l'arrachée, quelques victoires. Juste après les « événements » de juin 1848 à Paris, dont Antoine voulait profiter pour « faire céder Mazières et les autres », Marthe, sous son influence, avait redoublé d'énergie pour motiver les employées de la sécherie. Malgré leurs réticences, elle en avait convaincu quelques-unes de la rejoindre à une réunion secrète chez Jean, le bougnat, en présence d'Antoine et d'un mystérieux « correspondant » de Paris dont personne ne devait connaître le nom. Entre les ouvriers de chez Mazières, ceux du chemin de fer et les employées de la sécherie, ils s'étaient retrouvés à une cinquantaine dans l'arrière-salle du bougnat.

Marthe avait insisté pour que ses compagnes de travail exigent d'être payées à la journée plutôt qu'à la pièce. « Vous n'êtes pas des esclaves », leur avait-elle lancé.

Antoine, lui, s'était lancé dans une grande tirade, demandant aux cheminots et aux ouvriers du « Moulin » de « se grouper ».

— Il faut nous unir, nous serrer les coudes, avait-il proclamé, il faut nous préparer à la lutte.

Les hommes l'avaient chaleureusement applaudi, Marthe s'était jetée dans ses bras pour l'embrasser.

— Tu es formidable, Antoine, tu nous donnes espoir à tous, lui avait-elle dit sur un ton aussi amoureux que militant.

Quant aux femmes de la sécherie, elles étaient restées silencieuses, encore réfractaires à ces discours. Le mystérieux correspondant, pour sa part, n'avait rien dit. Les traits de son visage étaient dissimulés sous une barbe qui le vieillissait, et il avait gardé une casquette rabattue sur les yeux tout le temps que dura la réunion. Il s'était contenté d'acquiescer aux propos d'Antoine et de lui glisser à l'oreille quelques mots, de temps en temps. Personne, à l'exception d'une seule, n'avait reconnu André Bellard. C'est son regard qui l'avait trahi. Celui qu'il avait posé un instant, juste quelques secondes furtives, sur Geneviève, la meilleure amie de Marthe, elle aussi employée de la sécherie.

Geneviève Castey, voisine des parents Bellard à la Pastisseyre, avait été son premier amour d'adolescent, juste avant qu'il ne s'embarquât. Elle l'avait attendu après la première campagne, puis on lui avait dit qu'il était parti tenter sa chance en Amérique. Son cœur d'adolescente s'était fait une raison. Mais les quelques secondes au cours desquelles André la dévisagea lui suffirent pour le reconnaître. Il s'en aperçut. À la fin de la réunion, il demanda à Antoine d'aller la voir, avec le message suivant : « André sait que tu l'as reconnu. Il te demande le plus grand secret. C'est pour lui une question de vie ou de mort. Peut-il compter sur toi ? »

Elle regarda en direction d'André une dernière fois, et hocha gravement la tête, en signe d'assentiment.

Salaberry fut aussitôt informé de cette réunion par l'une des femmes qui y assistaient.

– Cette Saint-Gérard, c'est une vraie salope, avait-elle marmonné, croyant faire plaisir à Salaberry.

Il l'avait vertement remise à sa place, comme si l'insulte lui eût été personnellement adressée.

Le lendemain, il avait convoqué Marthe dans son bureau :

– Je suis au courant de vos petites réunions, chez le bougnat, lui avait-il déclaré. Toi, tu es sous l'influence de Graveille, et tu finiras mal. Les idées de ce garçon sont dangereuses et tu dois t'en éloigner. Pour ton bien.

– Moi, m'éloigner d'Antoine Graveille ? Jamais !

Son cœur avait parlé, sans l'ombre d'une hésitation.

– Et en plus, tu l'aimes ! s'était écrié Salaberry. Sais-tu qu'il rend sa mère malheureuse avec sa politique, et cette espèce d'obsession à vouloir venger la mémoire de son pauvre père ? Es-tu bien sûre qu'il y a encore de la place pour toi dans son cœur ?

Choquée et furieuse, Marthe avait rétorqué, froidement :

– Mais de quoi vous mêlez-vous, monsieur Salaberry ? Je n'ai que faire de vos conseils : vous n'êtes ni mon confident ni mon père.

Il avait serré les dents. Il n'y a pas pire blessure que le silence obligé.

Quelques jours plus tard, il alla trouver Varet :

– Les ouvrières s'agitent un peu ces jours-ci, monsieur. Si vous me permettez de vous exposer mon avis, l'atmosphère qui règne dans le pays depuis les événements de juin n'est pas propice au travail. Les Ateliers nationaux ont mis de drôles d'idées dans la tête des ouvriers. Un peu partout, les patrons ont dû faire quelques concessions. Je connais vos convictions, votre humanisme, monsieur. Vous avez déjà beaucoup fait pour vos employées. Mais l'heure est aux revendications ouvrières. Les filles sont calmes aujourd'hui, mais elles peuvent se réveiller demain. Je crois que Mazières, au « Moulin », l'a compris, on dit qu'il va laisser le lundi à ses hommes. Nous ne pouvons pas rester sans rien faire, monsieur. Permettez-moi de vous suggérer un geste : adoptons donc le système mis en place par les Ateliers nationaux, ne payons plus les employées à la pièce, mais à la journée. Si vous leur donnez ça, elles seront tranquilles pour longtemps.

— La journée ! Mais vous n'y pensez pas, Salaberry !

Telle avait été la première réaction du vieux Varet. Il s'en était pris violemment à Marthe qu'il considérait comme la « meneuse », entraînée par « le fils du bonnet rouge ».

— Pourquoi ne la renvoyez-vous pas, avec tout le mal qu'elle nous fait ? lui avait-il demandé.

Pris au dépourvu, Salaberry avait cherché à toute vitesse une réponse plausible :

— Elle est une bonne ouvrière, monsieur. Nous n'avons pas de meilleure brosseuse.

Varet avait réfléchi en caressant son chapeau, la tête emplie de calculs. Il remit son chapeau et dit :

— D'accord pour la journée. C'est vous qui avez raison, Salaberry. Quant à la petite Saint-Gérard, je ne veux plus en entendre parler. Sinon, ce sera la porte. Sans explications.

— Entendu, monsieur. Vous pouvez compter sur moi.

Bien qu'ils ne se fussent pas consultés, Salaberry n'aimant pas Mazières et son arrogance de nouveau riche, ils annoncèrent au même moment les mesures propres à désamorcer les revendications suscitées par Antoine et Marthe. Les ouvriers du « Moulin » eurent leur lundi, et les employées de la sécherie furent payées à la journée.

Au grand dam de Marthe et d'Antoine, tous les « révolutionnaires » béglais de 1848 rentrèrent dans le rang, et votèrent comme un seul homme pour le prince-président en décembre 1851.

Antoine en vint à se demander s'il ne se faisait pas de pénibles illusions sur ses contemporains, et à quoi servaient tous ses efforts. Il s'en confessa auprès de Caps, tout aussi dépité que lui. « Peut-être ne peuvent-ils pas faire autrement, commenta le professeur qui, en mûrissant, apprenait la patience. Ils ont trop peu de loisirs pour réfléchir, et avec la misère qu'ils subissent, ils se laissent aller. Faute d'instruction, ils se font berner par des Mazières, uniquement intéressés à les leurrer... Il nous faudra du temps, Antoine, mais nous y arriverons. Ne perdons pas espoir. »

Antoine resta chez Mazières, qui mit un point d'honneur à ne pas le renvoyer. Mais au début de 1852, il s'installa dans le carrelet des Bellard. Bien qu'il souffrît pour sa mère et la peine que lui causait son départ, la cohabitation avec elle était devenue impossible.

S'était-elle seulement rendu compte qu'il avait plus de vingt ans ? Elle devint de plus en plus jalouse de Marthe, qui lui avait pris son fils. C'est du moins ce qu'elle pensait, Catherine lui ayant mis cette idée dans la tête.

Au départ d'Antoine pour Terre-Neuve, Catherine était encore une petite fille, qui l'avait serré dans ses bras en pleurant, avec une spontanéité d'enfant. En grandissant, elle s'était renfermée sur elle-même, et avait tiré ses propres conclusions de la disparition prématurée de son père. Elle avait maintenant dix-huit ans. C'était une jeune fille sèche, comme ces arbres d'apparence malingre qui poussent sur les terres hostiles des causses. Elle n'était pas vraiment belle, mais pouvait avoir du charme quand elle prenait le temps de s'apprêter un peu. Au physique, elle ressemblait à la mère de Louise, mais son caractère n'était pas plus Graveille que Mauna.

« Elle n'a rien de nous », pestait Antoine quand il voyait sa sœur passer un temps infini à se regarder dans la petite glace fendue de la cuisine, à essayer les coiffures à la mode. « Ne te fatigue pas, Catherine, lui disait-il, tu pourrais être la plus belle de Bègles, et la plus à la mode, que les bourgeois ne voudraient pas de toi. Tu n'es pas de leur monde. »

Catherine rêvait, en effet, de rencontrer « le prince charmant ». Elle aurait ainsi accès à une vie plus confortable et découvrirait le monde des riches. Elle ne connaissait cet univers que par ce qu'on lui en disait, et par ce qu'elle en voyait tous les dimanches à Saint-Pierre. Pour elle, changer de vie ne passait pas par la révolte mais par la conquête d'un jeune homme de « bonne famille ».

Pour rien au monde, elle n'aurait manqué le rendez-vous de la messe de onze heures, celle des bourgeois. Habile ouvrière, elle s'était confectionné une robe dans du tissu que lui avait laissé sa patronne. Mme Tasserie avait un atelier au quartier de Villambits, Au Dé d'Or, où elle employait dix ouvrières, dont Catherine.

Chaque dimanche matin, Catherine chauffait son fer dans la braise et remettait sa belle robe dans ses plis. Elle lustrait ses sabots et tirait ses cheveux, qu'elle avait longs et soyeux, en un gracieux chignon. Elle arrivait à Saint-Pierre au moment où Michel Suhas, le bedeau, commençait à sonner les cloches. Un peu en retrait, contre le mur du cimetière, elle regardait arriver les familles des « châteaux », des sécheries et des usines, dans leurs équipages aux cuivres étincelants. C'était un émerveillement constant d'en voir descendre des femmes élégantes, souvent habillées de robes qu'elle avait cousues elle-même, à l'atelier.

Quelquefois, l'une de ces bourgeoises daignait poser un regard sur elle, sans doute attirée par l'élégance inhabituelle d'une jeune fille de sa condition. Elle en éprouvait à la fois de l'orgueil et de la gêne, craignant qu'il ne s'agisse de condescendance. Pendant la messe, elle se mettait au fond de l'église, entre le bénitier et la chapelle des fonts baptismaux, et observait les gestes des « familles ». Chacune avait son rang, avec ses prie-Dieu à son nom, gravé sur une plaque de cuivre. Les « vieilles » familles, comme les Ségur, les Tandonnet ou les Carayon-Latour, devant, tout près du chœur, et les autres derrière, comme les Varet, les Melis ou les Boyer, suivant des règles tacites que personne n'osait transgresser. Même pas Mazières, qui, pourtant, était devenu l'homme le plus riche de Bègles avec ses boulons industriels. Ce « bouffeur de curé » s'était converti à la religion par souci de respectabilité et surtout parce que sa femme vivait dans l'obsession de marier leur fils Aurélien à une fille de famille.

— Pas de messe, pas de bon mariage, lui avait dit le père Moustey avec un brin de perfidie.

Tous les dimanches, Mme Mazières traînait donc son mari et Aurélien à la messe de onze heures, dans l'espoir que son fils attirât l'attention d'une de ces demoiselles.

À moitié dissimulée, Catherine savait qu'elle n'était pas à sa place ici, à cette heure, même si le curé Moustey tenait en chaire de grandes homélies sur « l'Église des pauvres » et « le Christ universel ». Mais l'attirance était trop forte. Il fallait qu'elle voie leurs mains fines, qu'elle sente le parfum de prospérité qui semblait émaner des teints délicats, qu'elle approche, même de cette façon, ce monde auquel elle aurait tant voulu appartenir. Elle n'était pas comme cette illuminée de Marthe qui ne pensait qu'à le détruire. Catherine, elle, croyait les discours des patrons : « tout est possible dans ce pays, à condition de respecter l'ordre ». D'ailleurs, à Bègles, n'y avait-il pas des Varet, des Bouquier, des Jaubert qui prouvaient que l'on pouvait échapper à sa condition d'origine tout en étant un honnête citoyen ?

Tous ces gens qui semblaient vivre dans un univers à part, inaccessible se saluaient à la sortie de la messe, s'invitaient, se recevaient, se mariaient entre eux.

Un seul prêta attention à Catherine, le seul qui n'aurait jamais dû poser son regard sur elle : Aurélien Mazières.

Comment ce garçon pouvait-il savoir que cette touchante jeune fille, d'apparence si douce, si vulnérable, qu'il voyait repartir à pied après la messe, et dont le petit air digne l'avait conquis, était une fille Graveille ? Il ne l'avait jamais vue qu'à l'église Saint-Pierre et ne connaissait même pas son prénom.

Elle, en revanche, attendant chaque dimanche qu'il se retourne pour la regarder, savait qui il était. Elle savait parfaitement qui étaient les Mazières mais, quand on « tient » un jeune homme de « bonne famille », on ne le lâche pas. Elle se persuadait d'ailleurs que c'était là la seule façon honorable de venger son père, à sa manière. Elle ne ferait que reprendre son bien, puisque Mazières devait sa richesse à son père, à elle.

De dimanche en dimanche, de regards appuyés en sourires furtifs, ils finirent par s'aimer sans pouvoir se le dire. Aurélien était hors de portée pour une jeune fille comme Catherine. Grâce à la prospérité de ses affaires, son père s'était fait construire, par un architecte, une maison de maître au bord de la Garonne que les Béglais, à la fois moqueurs et admiratifs, avaient appelée le « château ». Mazières l'avait lui-même pompeusement baptisé : « château Bel-Air ».

Pour entrer dans une maison comme celle-là, il fallait soit être du même monde, soit y avoir un motif professionnel. Et encore. La mère d'Aurélien, pourtant enfant trouvée, était plus à cheval sur les principes que la baronne de Ségur en son château de Francs. Elle ne tolérait pas les visites du petit peuple, qui restait souvent à la grille du château. Elle avait bien vite oublié Créon et les ivrognes de l'auberge, tout comme son Mazières s'était empressé de cacher son bonnet rouge et de renier son passé. N'avait-il pas accepté d'entrer dans une église, lui qui se vantait de manger du curé tous les matins en se levant ?

Catherine trouva moyen d'entrer à « Bel-Air ». Mme Mazières était une des meilleures clientes de son atelier de couture, exigeant les meilleurs tissus, et les coupes à la dernière mode. Pour les essayages, elle n'acceptait que les services de Mme Tasserie, la patronne, et ne tolérait qu'elle se fasse accompagner d'une aide qu'à la condition d'avoir été consultée sur ce sujet auparavant.

Catherine se rendit donc dans l'orgueilleuse demeure, où l'on accédait par un large perron double abrité d'une marquise, en compagnie de Mme Tasserie, priant le ciel qu'Aurélien fût présent.

C'était un jeudi, jour sans école pour Aurélien, élève des jésuites de Saint-Joseph-de-Tivoli à Bordeaux. « Il doit être là », pensa Catherine, le cœur battant, en gravissant les escaliers du perron. Quand elle aperçut Aurélien, tenant la porte pour les accueillir, le carton dans lequel se trouvait la robe de Mme Mazières manqua de lui tomber des mains. Il devait être aussi surpris qu'elle, car il n'arrivait pas à trouver ses mots pour leur souhaiter bienvenue.

– Ma mère m'a demandé de vous accueillir..., bredouilla-t-il. Euh, entrez... enfin... passez dans la pièce qui est là... Mme Mazières ne va pas tarder.

Cette gaucherie plut à Catherine. Elle se sentit émue, mais le souci des conventions l'empêcha de se montrer aussi spontanée qu'elle l'aurait désiré. Pour la première fois, elle entendait le son de sa voix, toute de douceur et de fluidité. Ses mains fines semblaient faites pour la musique ou l'écriture ; elles surprenaient chez le fils d'un ancien forgeron.

En ouvrant la porte du petit salon où devait avoir lieu l'essayage, Aurélien ne s'effaça pas suffisamment : ils se frôlèrent. Le parfum qu'il portait évoquait tout un monde.

Les clameurs de Mme Mazières précédèrent son entrée. Le verbe haut, avec dans la voix des accents traînants qui trahissaient ses origines plébéiennes, elle vitupérait contre ces domestiques impossibles, dont on n'arrivait plus, de nos jours, à se faire servir.

– Cette gourgandine de Violette trouve le moyen d'être malade. Celle-là, on ne l'assiérait pas sur une chaise en paille ! Si elle courait moins les garçons, ça ne lui arriverait pas. Et dire que je suis obligée de demander à mon Aurélien de venir vous accueillir, mesdames ! Vraiment, c'est le monde à l'envers !

Elle referma la porte du salon pour l'essayage.

– Bon, ne perdons pas de temps, poursuivit-elle sur un ton autoritaire, faisant aussi peu de cas de Catherine, qui sortait la robe de son carton, que d'un chiffon sans valeur. Je veux que tout soit prêt pour samedi, les Tandonnet reçoivent dans leur petite folie des bords de Garonne.

– Tout sera prêt, madame Mazières, glissa Mme Tasserie, avant d'ajouter sur un ton obséquieux : Vous savez bien qu'avec vous, madame, il n'y a jamais beaucoup de retouches à faire !

Aurélien, qui avait quitté la pièce pendant les essayages de sa mère, raccompagna les deux couturières jusqu'au perron. En traversant le grand salon, il glissa un papier dans la main de Catherine, sur lequel elle put lire plus tard, rédigé d'une écriture élégante :

Mademoiselle, je crois que je vous aime. Le milieu auquel j'appartiens n'est peut-être pas le vôtre, peu importe. Quand on aime, tout est passerelle ou pont. C'est avec vous que je veux construire

*ma vie. Quoi qu'il nous en coûte et quoi qu'il nous
arrive.*

Je m'arrange pour vous revoir. Rien n'est impossible à un amoureux !

Aurélien.

Antoine ne revint plus chez sa mère. Elle lui faisait la guerre au sujet de tout, et en particulier de Marthe. « C'est cette fille qui lui tourne la tête, ruminait-elle, c'est elle qui l'a monté contre moi, et contre M. Salaberry. Elle ne mettra jamais les pieds chez moi. »

Toutes les conversations de Louise avec Catherine n'avaient qu'un objet : Marthe, et sa mauvaise influence sur Antoine.

— S'il n'avait pas rencontré cette fille, il serait encore là, se répétaient-elles.

— Ils finiront mal ces deux-là, ajoutait Catherine avec un brin de méchanceté.

Pendant qu'elles s'en prenaient à Marthe, elles évitaient de se poser des questions sur les vraies raisons du départ d'Antoine. L'une et l'autre savaient bien que Marthe n'en était pas l'unique cause. Tout juste avait-elle précipité les événements. Ce que Louise considérait comme un abandon, Antoine le vivait, lui, comme une rupture. Qu'il n'aurait sans doute jamais pu assumer sans Marthe. Un lien extrêmement puissant l'attachait à sa mère. Il croyait l'avoir coupé ce jour où les gendarmes étaient venus à la Caminasse, mais ces choses-là ne se décident pas sur un coup de tête.

« Tu dois rester ici, Antoine, lui répétait Marthe, qui venait souvent le voir dans son nouveau logis. Trop de choses se sont passées. Si tu reviens à la Caminasse, ça finira mal pour vous tous... Et puis, maintenant, tu es à moi », ajouta-t-elle en lui entourant le cou de ses bras. Elle regretta aussitôt cette dernière phrase, qui lui semblait exprimer trop crûment un sentiment que, pourtant, elle ne désavouait pas.

Antoine ayant quitté la Caminasse, Salaberry poussa son avantage auprès de Louise.

– Louise, avait-il déclaré, vous n'êtes pas bien dans cette vieille cabane. Je tiens à votre disposition la maison de garde, qui, par un heureux hasard, est inhabitée depuis quelque temps. Elle vous conviendrait bien, ainsi qu'à votre famille. Vous y seriez mieux qu'ici.

Il marqua un silence.

– Et puis, nous serions plus près l'un de l'autre, avait-il osé.

Louise et sa famille s'installèrent dans les dépendances de Salaberry au début de l'été 1852.

L'air était lourd au bord de la Garonne. Il annonçait l'orage.

Cap Corse, juillet 1997.

Glossaire

Accore : escarpement des fonds marins.

Aornie (marée d') : quand le mauvais temps ou la brume empêche de sortir en mer pour pêcher la morue.

Aubarède : plantation de roseaux.

Baille : baquet ou tonneau servant à divers usages à bord d'un navire.

Banquer : faire le banc à Terre-Neuve.

Baste : récipient de bois pour transporter la vendange.

Bossoir : sur les anciens vaisseaux, pièce de bois servant à la manœuvre de l'ancre.

Boujaron : ration quotidienne d'alcool des marins, correspondant à un seizième de litre.

Bourrée : fagot de branches fines.

Câblot : câble servant d'amarre aux embarcations.

Caminasse : expression gasconne pour désigner un petit chemin.

Chaudrette : sorte de filet circulaire monté sur un cercle de fer, rempli de viande pour attirer les mollusques.

Courau : embarcation pour le chargement et le déchargement des marchandises utilisée dans les eaux vaseuses.

Doris : embarcation à fond plat utilisée pour la pêche à la morue.

Dorissier : pêcheur sur un doris.

Enfléchure : échelon de corde tendu horizontalement entre les haubans pour grimper dans la mâture.

Ébrayeur : celui qui vit de la morue.

Énocteur : celui qui tranche la tête de la morue.

Estey : petit cours d'eau.

Gabier : matelot chargé du gréement.

Gât : poisson de la Garonne.

Gouillas : occitanisme désignant un jeune homme.

Gournable : cheville de chêne employée sur les navires en bois pour fixer les bordages.

Groumeur : iceberg.

Guillemot : oiseau marin proche des pingouins.

Guindeau : treuil servant à manœuvrer l'ancre.

Hart : lien végétal pour attacher les fagots.

Manne : grand panier d'osier dans lequel les marins lovaient leurs lignes.

Margat : oiseau marin.

Orbiche : bretonnisme pour désigner les fruits de mer.

Orin : cordage reliant une ancre à la bouée qui permet d'en repérer l'emplacement.

Palletas : marins de la « Grande Pêche ».

Palus : dans le Bordelais ancien marais ou terre d'alluvion planté de vignobles.

Pimbe : mot gascon pour toupie.

Rance : piquet de bois dans lequel on empilait les doris.

Tentis : action de tendre les lignes.

Terre-neuva : marin qui pratique la pêche sur les bancs de Terre-Neuve ; navire utilisé pour cette pêche.

Remerciements

À André Reigt, auteur de *Les Brouillons de Papy Reigt*, autobiographie d'un Béglais moyen (polycopié, 1996).

À Bernard Combeau, auteur de *Bordeaux Corsaire*, récit, Mollat, 1993.

À l'association « La Mémoire de Bordeaux ».

Aux nombreux témoins anonymes qui m'ont raconté leur passé.

Bibliographie sommaire

Bossoutrot, Camille, *Bègles, hier, aujourd'hui, demain*, 1932.

Fournet, Philippe, *Grandeur et décadence de l'activité morutière bordelaise.*

Lacroix, Louis, *Les Derniers Voiliers morutiers terre-neuvas, islandais, groenlandais*, imprimerie Pacteau, Luçon, 1949.

Recher, Jean, *Le Grand Métier*, Plon, collection « Terres humaines », 1975.

Yvon (père), *Avec les bagnards de la mer*, Éditions Ancre de marine, 1997 (réédition).

Yvon (père), *Avec les pêcheurs de Terre-Neuve et du Groenland*, Éditions Ancre de marine, 1986 (réédition).

GENS DE GARONNE

Bègles, étude d'une vieille banlieue industrielle de l'agglomération bordelaise, maîtrise de géographie, université de Bordeaux, 1968.

Aubin Imprimeur
LIGUGÉ, POITIERS

Reproduit et achevé d'imprimer en mai 1998
N° d'édition 98067 / N° d'impression L 55983
Dépôt légal juin 1998
Imprimé en France

ISBN 2-73821-098-8

33-6098-9